LA PASIÓN
DE LOS SIGLOS

E.G. WHITE

HOMEWARD PUBLISHING

LA PASIÓN DE LOS SIGLOS

©2004 por HOMEWARD PUBLISHING
Todos los derechos reservados

Diseño de Carátula y libro – CherryDeZign

Arte – Jimi Claybrooks

Retrato de Jesús – Sharon Zeismer

Traducción de títulos, introducción, prefacio
y todo lo que incluye presentaciones generales
por Dionisio Olivo, Presidente
Asociación del Gran Nueva York

Contribución especial
Patty Gadea

Publicado por
HOMEWARD PUBLISHING
P.O. Box 111
Earlton, New York 12058
1-800-823-0481

www.passionoftheages.com
E-mail: shorter@mhonline.net

ISBN-0-938805-12-6

Impreso por la Pacific Press® Publishing Association

INTRODUCCIÓN

La magnitud del impacto que ha tenido la película La Pasión del Cristo para la causa de Dios en esta tierra solamente lo sabremos en el cielo. Es posible que millones de personas hayan captado por primera vez el enorme sufrimiento de Jesucristo para lograr nuestra salvación. Sin embargo, la película dejó muchas preguntas sin responder.

Al leer esta obra, el lector encontrará respuesta a muchas inquietudes espirituales y llegará a conocer al Salvador de una manera más íntima y profunda. También encontrará paz y valor para enfrentar cualquier situación que se presente en el diario vivir.

—Dr. Manuel Vásquez,
Vicepresidente,
División Norteamericana

LA PASIÓN REAL

La Pasión del Cristo, de Mel Gibson, tocó un nervio vital para muchos. Esta es una experiencia espiritual profundamente motivadora. Para otros ha sido un retrato del brutal sufrimiento de Cristo, algo superior a sus fuerzas emocionales.

Quizás tú has visto la película o quizás no, pero ¿cuál es el significado de todo esto? ¿Por qué todo este horror? ¿Fue Jesús simplemente un mártir que murió por una buena causa? ¿Por qué la cruz se levanta en el centro del cristianismo?

Hay algo mas allá del atroz dolor que Jesús experimentó en la cruz. Hay algo más trascendente que la intensidad de su sufrimiento físico. Hay algo más que los fuertes, armados y musculosos soldados romanos que hunden los clavos en su carne. Hay algo más que un látigo romano con fragmentos de metal que desgarra la carne de sus espaldas laceradas. A pesar de lo horrible y real que fue su sufrimiento físico, si esto es todo lo que vemos en la montaña del Gólgota, entonces no hemos captado realmente el significado de su pasión.

Mark A. Finley
Evangelista mundial
Programa Televisivo Está Escrito
Simi Valley, California

Para el texto completo, ver página 152.

INTRODUCCIÓN

La fe no es un opio, sino un estimulante. Mirar al Calvario no calmará tu alma como para que no cumpla con su deber sino que creará una fe que trabajará, purificando el alma de todo egoísmo.

La fe en Cristo que salva el alma no es la que es representada por muchos. "Cree, cree" es el grito. Solamente "cree en Cristo y serás salvo, es todo lo que tienes que hacer". Mientras la verdadera fe confía completamente en Cristo para salvación, también dirigirá a una conformidad con la Ley de Dios.

—Elena G. White

ÍNDICE

Si me olvido del Getsemaní

Si me olvido de tu agonía

Si me olvido de tu amor por mí

Llévame al Calvario.

—Jennie E. Hussey

1

GETSEMANÍ

EN COMPAÑÍA de sus discípulos, el Salvador se encaminó lentamente hacia el huerto de Getsemaní. La luna de Pascua, ancha y llena, resplandecía desde un cielo sin nubes. La ciudad de cabañas para los peregrinos estaba sumida en el silencio. Jesús había estado conversando fervientemente con sus discípulos e instruyéndolos; pero al acercarse a Getsemaní se fue sumiendo en un extraño silencio. Con frecuencia, había visitado, este lugar para meditar y orar; pero nunca con un corazón tan lleno de tristeza como esta noche de su última agonía. Toda su vida en la tierra, había andado en la presencia de Dios. Mientras se hallaba en conflicto con hombres animados por el espíritu de Satanás, pudo decir: "El que me envió, conmigo está; no me ha dejado solo el Padre; porque yo, lo que a él agrada, hago siempre". Pero ahora le parecía estar excluido de la luz de la presencia sostenedora de Dios. Ahora se contaba con los transgresores. Debía llevar la culpabilidad de la humanidad caída. Sobre el que no conoció pecado, debía ponerse la iniquidad de todos nosotros. Tan terrible le parece el pecado tan grande el peso de la culpabilidad que debe llevar, que está tentado a temer que quedará privado para siempre del amor de su Padre. Sintiendo cuán terrible es la ira de Dios contra la transgresión, exclama: "Mi alma está muy triste hasta la muerte".

Al acercarse al huerto, los discípulos notaron el cambio de ánimo en su Maestro. Nunca antes le habían visto tan triste y callado. Mientras avanzaba, esta extraña tristeza se iba ahondando; pero no se atrevían a interrogarle acerca de la causa. Su cuerpo se tambaleaba como si estuviese por caer. Al llegar al huerto, los discípulos buscaron ansiosamente el lugar donde solía retraerse, para que su Maestro pudiese descansar. Cada paso le costaba un penoso esfuerzo. Dejaba oír gemidos como si le agobiase una terrible carga. Dos veces le sostuvieron sus compañeros, pues sin ellos habría caído al suelo.

Cerca de la entrada del huerto, Jesús dejó a todos sus discípulos, menos tres, rogándoles que orasen por sí mismos y por él. Acompañado de Pedro, Santiago y Juan, entró en los lugares más retirados. Estos tres discípulos eran los compañeros más íntimos de Cristo. Habían contemplado su gloria en el monte de la transfiguración; habían visto a Moisés y Elías conversar con él; habían oído la voz del cielo; y ahora en su grande lucha Cristo deseaba su presencia inmediata. Con frecuencia habían pasado la noche con él en este retiro. En esas ocasiones, después de unos momentos de vigilia y oración, se dormían apaciblemente a corta distancia de su Maestro, hasta que los despertaba por la mañana para salir de nuevo a trabajar. Pero ahora deseaba que ellos pasasen la noche con él en oración. Sin embargo, no podía sufrir que aun ellos presenciasen la agonía que iba a soportar.

"Quedaos aquí —dijo,— y velad conmigo".

Fue a corta distancia de ellos no tan lejos que no pudiesen verle y oírle— y cayó postrado en el suelo. Sentía que el pecado le estaba separando de su Padre. La sima era tan ancha, negra y profunda que su espíritu se estremecía ante ella. No debía ejercer su poder divino para escapar de esa agonía. Como hombre, debía sufrir las consecuencias del pecado del hombre. Como hombre, debía soportar la ira de Dios contra la transgresión.

Cristo asumía ahora una actitud diferente de la que jamás asumiera antes. Sus sufrimientos pueden describirse mejor en las palabras del profeta: "Levántate, oh espada, sobre el pastor, y sobre el hombre compañero mío, dice Jehová de los ejércitos" Como substituto y garante del hombre pecaminoso, Cristo estaba sufriendo bajo la justicia divina. Veía lo que significaba la justicia. Hasta entonces había obrado como intercesor por otros; ahora anhelaba tener un intercesor para sí.

Sintiendo quebrantada su unidad con el Padre, temía que su naturaleza humana no pudiese soportar el venidero conflicto con las potestades de las tinieblas. En el desierto de la tentación, había estado en juego el destino de la raza humana. Cristo había vencido entonces. Ahora el tentador había acudido a la última y terrible lucha, para la cual se había estado preparando durante los tres años del ministerio de Cristo. Para él, todo estaba en juego. Si fracasaba aquí, perdía su esperanza de dominio; los reinos del mundo llegarían a ser finalmente de Cristo; él mismo sería derribado y desechado. Pero si podía vencer a Cristo, la tierra llegaría a ser el reino de Satanás, y la familia humana estaría para siempre en su poder. Frente a las consecuencias posibles del conflicto, embargaba el alma de Cristo el temor de quedar separada de Dios. Satanás le decía que si se hacía garante de un mundo pecaminoso, la separación sería eterna. Quedaría identificado con el reino de Satanás, y nunca más sería uno con Dios.

Y ¿qué se iba a ganar por este sacrificio? ¡Cuán irremisibles parecían la culpabilidad y la ingratitud de los hombres! Satanás presentaba al Redentor la situación en sus rasgos más duros: El pueblo que pretende estar por encima de todos los demás en ventajas temporales y espirituales te ha rechazado. Está tratando de destruirte a ti, fundamento, centro y sello de las promesas a ellos hechas como pueblo peculiar. Uno de tus propios discípulos, que escuchó tus instrucciones y se ha destacado en las actividades de tu iglesia, te traicionará. Uno de tus más celosos seguidores te negará. Todos te abandonarán. Todo el ser de Cristo aborrecía este pensamiento. Que aquellos a quienes se había comprometido a salvar, aquellos a quienes amaba tanto se uniesen a las maquinaciones de Satanás, esto traspasaba su alma. El conflicto era terrible. Se medía por la culpabilidad de su nación, de sus acusadores y su traidor, por la de un mundo que yacía en la iniquidad. Los pecados de los hombres descansaban pesadamente sobre Cristo, y el sentimiento de la ira de Dios contra el pecado abrumaba su vida.

Mirémosle contemplando el precio que ha de pagar por el alma humana. En su agonía, se aferra al suelo frío, como para evitar ser alejado más de Dios. El frío rocío de la noche cae sobre su cuerpo postrado, pero él no le presta atención. De sus labios pálidos, brota el amargo clamor: "Padre mío, si es posible, pase de mí este vaso". Pero aun entonces añade: "Empero no como yo quiero, sino como tú".

El corazón humano anhela simpatía en el sufrimiento. Este anhelo lo sintió Cristo en las profundidades de su ser. En la suprema agonía de su alma, vino a sus discípulos con un anhelante deseo de oír algunas palabras de consuelo de aquellos a quienes había bendecido y consolado con tanta frecuencia, y escudado en la tristeza y la angustia. El que siempre había tenido palabras de simpatía para ellos, sufría ahora agonía sobrehumana, y anhelaba saber que oraban por él y por sí mismos. ¡Cuán sombría parecía la malignidad del pecado! Era terrible la tentación de dejar a la familia humana soportar las consecuencias de su propia culpabilidad, mientras él permaneciese inocente delante de Dios. Si tan sólo pudiera saber que sus discípulos comprendían y apreciaban esto, se sentiría fortalecido.

Levantándose con penoso esfuerzo, fue tambaleándose adonde había dejado a sus compañeros. Pero "los halló durmiendo". Si los hubiese hallado orando, habría quedado aliviado. Si ellos hubiesen estado buscando refugio en Dios para que los agentes satánicos no pudiesen prevalecer sobre ellos, habría quedado consolado por su firme fe. Pero no habían escuchado la amonestación repetida: "Velad y orad". Al principio, los había afligido mucho el ver a su Maestro, generalmente tan sereno y digno, luchar con una tristeza incomprensible. Habían orado al oír los fuertes clamores del que sufría. No se proponían abandonar a su Señor, pero parecían paralizados por un estupor que podrían haber sacudido sí hubiesen continuado suplicando a Dios. No comprendían la necesidad de velar y orar fervientemente para resistir la tentación.

Precisamente antes de dirigir sus pasos al huerto, Jesús había dicho a los discípulos: "Todos seréis escandalizados en mí esta noche". Ellos le habían asegurado enérgicamente que irían con él a la cárcel y a la muerte. Y el pobre Pedro, en su suficiencia propia, había añadido: "Aunque todos sean escandalizados, mas no yo". Pero los discípulos confiaban en sí mismos. No miraron al poderoso Auxiliador como Cristo les había aconsejado que lo hiciesen. Así que cuando más necesitaba el Salvador su simpatía y oraciones, los halló dormidos. Pedro mismo estaba durmiendo.

Y Juan, el amante discípulo que se había reclinado sobre el pecho de Jesús, dormía. Ciertamente, el amor de Juan por su Maestro debiera haberlo mantenido despierto. Sus fervientes oraciones debieran haberse mezclado con las de su amado Salvador en el momento de su suprema tristeza. El Redentor había pasado noches enteras orando por sus discípulos, para que su fe no faltase. Si Jesús hubiese dirigido a Santiago y a Juan la pregunta que les había dirigido una vez: "¿Podéis beber el vaso que yo he de beber, y ser bautizados del bautismo de que yo soy bautizado?" no se habrían atrevido a contestar: "Podemos".

Los discípulos se despertaron al oír la voz de Jesús, pero casi no le conocieron, tan cambiado por la angustia había quedado su rostro. Dirigiéndose a Pedro, Jesús dijo: "¡Simón! ¿duermes tú? ¿no has podido velar una sola hora? Velad, y orad, para que no entréis en tentación; el espíritu a la verdad está pronto, mas la carne es débil". La debilidad de sus discípulos despertó la simpatía de Jesús. Temió que no pudiesen soportar la prueba que iba a sobrevenirles en la hora de su entrega y muerte. No los reprendió, sino dijo: "Velad, y orad, para que no entréis en tentación". Aun en su gran agonía, procuraba disculpar su debilidad. "El espíritu a la verdad está pronto —dijo,— mas la carne es débil".

El Hijo de Dios volvió a quedar presa de agonía sobrehumana, y tambaleándose volvió agotado al lugar de su primera lucha. Su sufrimiento era aun mayor que antes. Al apoderarse de él la agonía del alma, "fue su sudor como grandes gotas de sangre que caían hasta la tierra". Los cipreses y las palmeras eran los testigos silenciosos de su angustia. De su follaje caía un pesado rocío sobre su cuerpo postrado, como si la naturaleza llorase sobre su Autor que luchaba a solas con las potestades de las tinieblas.

Poco tiempo antes, Jesús había estado de pie como un cedro poderoso, presintiendo la tormenta de oposición que agotaba su furia contra él. Voluntades tercas y corazones llenos de malicia y sutileza habían procurado en vano confundirle y abrumarle. Se había erguido con divina majestad como el Hijo de Dios. Ahora era como un junco azotado y doblegado por la tempestad airada. Se había acercado a la consumación de su obra como vencedor, habiendo ganado a cada paso la victoria sobre las potestades de las tinieblas. Como ya glorificado, había aseverado su unidad con Dios. En acentos firmes, había elevado sus cantos de alabanza. Había dirigido a sus discípulos palabras de estímulo y ternura. Pero ya había llegado la hora de la potestad de las tinieblas. Su voz se oía en el tranquilo aire nocturno, no en tonos de triunfo, sino impregnada de angustia humana. Estas palabras del Salvador llegaban a los oídos de los soñolientos discípulos: "Padre mío, si no puede este vaso pasar de mí sin que yo lo beba, hágase tu voluntad".

El primer impulso de los discípulos fue ir hacia él; pero les había invitado a quedarse allí velando y orando. Cuando Jesús vino a ellos, los halló otra vez dormidos. Otra vez había sentido un anhelo de compañía, de oír de sus discípulos algunas palabras que le aliviasen y quebrantasen el ensalmo de las tinieblas que casi le dominaban. Pero "los ojos de ellos estaban cargados; y no sabían qué responderle". Su presencia los despertó. Vieron su rostro surcado por el sangriento sudor de la agonía, y se llenaron de temor. No podían comprender su angustia mental. "Tan desfigurado era su aspecto más que el de cualquier hombre, y su forma más que la de los hijos de Adán".

Apartándose, Jesús volvió a su lugar de retiro y cayó postrado, vencido por el horror de una gran obscuridad. La humanidad del Hijo de Dios temblaba en esa hora penosa. Oraba ahora no por sus discípulos, para que su fe no faltase, sino por su propia alma tentada y agonizante. Había llegado el momento pavoroso, el momento que había de decidir el destino del mundo. La suerte de la humanidad pendía de un hilo. Cristo podía aun ahora negarse a beber la copa destinada al hombre culpable. Todavía no era demasiado tarde. Podía enjugar el sangriento sudor de su frente y dejar que el hombre pereciese en su iniquidad. Podía decir: Reciba el transgresor la penalidad de su pecado, y yo volveré a mi Padre. ¿Beberá el Hijo de Dios la amarga copa de la humillación y la agonía? ¿Sufrirá el inocente las consecuencias de la maldición del pecado, para salvar a los culpables? Las palabras caen temblorosamente de los pálidos labios de Jesús: "Padre mío, si no puede este vaso pasar de mí sin que yo lo beba, hágase tu voluntad".

Tres veces repitió esta oración. Tres veces rehuyó su humanidad el último y culminante sacrificio, pero ahora surge delante del Redentor del mundo la historia de la familia humana. Ve que los transgresores de la ley, abandonados a sí mismos, tendrían que perecer. Ve la impotencia del hombre. Ve el poder del pecado. Los ayes y lamentos de un mundo condenado surgen delante de él. Contempla la suerte que le tocaría, y su decisión queda hecha. Salvará al hombre, sea cual fuere el costo. Acepta su bautismo de sangre, a fin de que por él los millones que perecen puedan obtener vida eterna. Dejó los atrios celestiales, donde todo es pureza, felicidad y gloria, para salvar a la oveja perdida, al mundo que cayó por la transgresión. Y no se apartará de su misión. Hará propiciación por una raza que quiso pecar. Su oración expresa ahora solamente sumisión: "Si no puede este vaso pasar de mí sin que yo lo beba, hágase tu voluntad".

Habiendo hecho la decisión, cayó moribundo al suelo del que se había levantado parcialmente. ¿Dónde estaban ahora sus discípulos, para poner tiernamente sus manos bajo la cabeza de su Maestro desmayado, y bañar esa frente desfigurada en verdad más que la de los hijos de los hombres? El Salvador pisó solo el lagar, y no hubo nadie del pueblo con él.

Pero Dios sufrió con su Hijo. Los ángeles contemplaron la agonía del Salvador. Vieron a su Señor rodeado por las legiones de las fuerzas satánicas, y su naturaleza abrumada por un pavor misterioso que lo hacía estremecerse. Hubo silencio en el cielo. Ningún arpa vibraba. Si los mortales hubiesen percibido el asombro de la hueste angélica mientras en silencioso pesar veía al Padre retirar sus rayos de luz, amor y gloria de su Hijo amado, comprenderían mejor cuán odioso es a su vista el pecado.

Los mundos que no habían caído y los ángeles celestiales habían mirado con intenso interés mientras el conflicto se acercaba a su fin. Satanás y su confederación del mal, las legiones de la apostasía, presenciaban atentamente esta gran crisis de la obra de redención. Las potestades del bien y del mal esperaban para ver qué respuesta recibiría la oración tres veces repetida por Cristo. Los ángeles habían anhelado llevar alivio al divino doliente, pero esto no podía ser. Ninguna vía de escape había para el Hijo de Dios. En esta terrible crisis, cuando todo estaba en juego, cuando la copa misteriosa temblaba en la mano del Doliente, los cielos se abrieron, una luz resplandeció de en medio de la tempestuosa obscuridad de esa hora crítica, y el poderoso ángel que está en la presencia de Dios ocupando el lugar del cual cayó Satanás, vino al lado de Cristo. No vino para quitar de su mano la copa, sino para fortalecerle a fin de que pudiese beberla, asegurado del amor de su Padre. Vino para dar poder al suplicante divino-humano. Le mostró los cielos abiertos y le habló de las almas que se salvarían como resultado de sus sufrimientos. Le aseguró que su Padre es mayor y más poderoso que Satanás, que su muerte ocasionaría la derrota completa de Satanás, y que el reino de este mundo sería dado a los santos del Altísimo. Le dijo que vería el trabajo de su alma y quedaría satisfecho, porque vería una multitud de seres humanos salvados, eternamente salvos.

La agonía de Cristo no cesó, pero le abandonaron su depresión y desaliento. La tormenta no se había apaciguado, pero el que era su objeto fue fortalecido para soportar su furia. Salió de la prueba sereno y henchido de calma. Una paz celestial se leía en su rostro manchado de sangre. Había soportado lo que ningún ser humano hubiera podido soportar; porque había gustado los sufrimientos de la muerte por todos los hombres.

Los discípulos dormidos habían sido despertados repentinamente por la luz que rodeaba al Salvador. Vieron al ángel que se inclinaba sobre su Maestro postrado. Le vieron alzar la cabeza del Salvador contra su pecho y señalarle el cielo. Oyeron su voz, como la música más dulce, que pronunciaba palabras de consuelo y esperanza. Los discípulos recordaron la escena transcurrida en el monte de la transfiguración. Recordaron la gloria que en el templo había circuido a Jesús y la voz de Dios que hablara desde la nube. Ahora esa misma gloria se volvía a revelar, y no sintieron ya temor por su Maestro. Estaba bajo el cuidado de Dios, y un ángel poderoso había sido enviado para protegerle. Nuevamente los discípulos cedieron, en su cansancio, al extraño estupor que los dominaba. Nuevamente Jesús los encontró durmiendo.

Mirándolos tristemente, dijo: "Dormid ya, y descansad: he aquí ha llegado la hora, y el Hijo del hombre es entregado en manos de pecadores".

Aun mientras decía estas palabras, oía los pasos de la turba que le buscaba, y añadió: "Levantaos, vamos: he aquí ha llegado el que me ha entregado".

No se veían en Jesús huellas de su reciente agonía cuando se dirigió al encuentro de su traidor. Adelantándose a sus discípulos, dijo: "¿A quién buscáis?" Contestaron: "A Jesús Nazareno". Jesús respondió: "Yo soy". Mientras estas palabras eran pronunciadas, el ángel que acababa de servir a Jesús, se puso entre él y la turba. Una luz divina iluminó el rostro del Salvador, y le hizo sombra una figura como de paloma. En presencia de esta gloria divina, la turba homicida no pudo resistir un momento. Retrocedió tambaleándose. Sacerdotes, ancianos, soldados, y aun Judas, cayeron como muertos al suelo.

El ángel se retiró, y la luz se desvaneció. Jesús tuvo oportunidad de escapar, pero permaneció sereno y dueño de sí. Permaneció en pie como un ser glorificado, en medio de esta banda endurecida, ahora postrada e inerme a sus pies. Los discípulos miraban, mudos de asombro y pavor.

Pero la escena cambió rápidamente. La turba se levantó. Los soldados romanos, los sacerdotes y Judas se reunieron en derredor de Cristo. Parecían avergonzados de su debilidad, y temerosos de que se les escapase todavía. Volvió el Redentor a preguntar: "¿A quién buscáis?" Habían tenido pruebas de que el que estaba delante de ellos era el Hijo de Dios, pero no querían convencerse. A la pregunta: "¿A quién buscáis?" volvieron a contestar: "A Jesús Nazareno". El Salvador les dijo entonces: "Os he dicho que yo soy: pues si a mí buscáis, dejad ir a éstos," señalando a los discípulos. Sabía cuán débil era la fe de ellos, y trataba de escudarlos de la tentación y la prueba. Estaba listo para sacrificarse por ellos.

El traidor Judas no se olvidó de la parte que debía desempeñar. Cuando entró la turba en el huerto, iba delante, seguido de cerca por el sumo sacerdote. Había dado una señal a los perseguidores de Jesús diciendo: "Al que yo besare, aquél es: prendedle". Ahora, fingiendo no tener parte con ellos, se acercó a Jesús, le tomó de la mano como un amigo familiar, diciendo: "Salve, Maestro," le besó repetidas veces, simulando llorar de simpatía por él en su peligro.

Jesús le dijo: "Amigo, ¿a qué vienes?" Su voz temblaba de pesar al añadir: "Judas, ¿con beso entregas al Hijo del hombre?" Esta súplica debiera haber despertado la conciencia del traidor y conmovido su obstinado corazón; pero le habían abandonado la honra, la fidelidad y la ternura humana. Se mostró audaz y desafiador, sin disposición a enternecerse. Se había entregado a Satanás y no podía resistirle. Jesús no rechazó el beso del traidor.

La turba se envalentonó al ver a Judas tocar la persona de Aquel que había estado glorificado ante sus ojos tan poco tiempo antes. Se apoderó entonces de Jesús y procedió a atar aquellas preciosas manos que siempre se habían dedicado a hacer bien.

Los discípulos habían pensado que su Maestro no se dejaría prender. Porque el mismo poder que había hecho caer como muertos a esos hombres podía dominarlos hasta que Jesús y sus compañeros escapasen. Se quedaron chasqueados e indignados al ver sacar las cuerdas para atar las manos de Aquel a quien amaban. En su ira, Pedro sacó impulsivamente su espada y trató de defender a su Maestro, pero no logró sino cortar una oreja del siervo del sumo sacerdote. Cuando Jesús vio lo que había hecho, libró sus manos, aunque eran sujetadas firmemente por los soldados romanos, y diciendo: "Dejad hasta aquí," tocó la oreja herida, Y ésta quedó inmediatamente sana. Dijo luego a Pedro: "Vuelve tu espada a su lugar; porque todos los que tomaren espada, a espada perecerán. ¿Acaso piensas que no puedo ahora orar a mi Padre, y él me daría más de doce legiones de ángeles?" —una legión en lugar de cada uno de los discípulos— Pero los discípulos se preguntaban: ¿Oh, por qué no se salva a sí mismo y a nosotros? Contestando a su pensamiento inexpresado, añadió: "¿Cómo, pues, se cumplirían las Escrituras, que así conviene que sea hecho?" "El vaso que el Padre me ha dado, ¿no lo tengo de beber?"

La dignidad oficial de los dirigentes judíos no les había impedido unirse al perseguimiento de Jesús. Su arresto era un asunto demasiado importante para confiarlo a subordinados; así que los astutos sacerdotes y ancianos se habían unido a la policía del templo y a la turba para seguir a Judas hasta Getsemaní. ¡Qué compañía para estos dignatarios: una turba ávida de excitación y armada con toda clase de instrumentos como para perseguir a una fiera!

Volviéndose a los sacerdotes y ancianos, Jesús fijó sobre ellos su mirada escrutadora. Mientras viviesen, no se olvidarían de las palabras que pronunciara. Eran como agudas saetas del Todopoderoso. Con dignidad dijo: Salisteis contra mí con espadas y palos como contra un ladrón. Día tras día estaba sentado enseñando en el templo. Tuvisteis toda oportunidad de echarme mano, y nada hicisteis. La noche se adapta mejor para vuestra obra. "Esta es vuestra hora, y la potestad de las tinieblas".

Los discípulos quedaron aterrorizados al ver que Jesús permitía que se le prendiese y atase. Se ofendieron porque sufría esta humillación para sí y para ellos. No podían comprender su conducta, y le inculpaban por someterse a la turba. En su indignación y temor, Pedro propuso que se salvasen a sí mismos. Siguiendo esta sugestión, "todos los discípulos huyeron, dejándole". Pero Cristo había predicho esta deserción. "He aquí había dicho, la hora viene, y ha venido, que seréis esparcidos cada uno por su parte, y me dejaréis solo: mas no estoy solo, porque el Padre está conmigo".

2

ANTE ANNÁS Y CAIFÁS

LEVARON apresuradamente a Jesús al otro lado del arroyo Cedrón, más allá de los huertos y olivares, y a través de las silenciosas calles de la ciudad dormida. Era más de medianoche, y los clamores de la turba aullante que le seguía rasgaban bruscamente el silencio nocturno. El Salvador iba atado y cuidadosamente custodiado, y se movía penosamente. Pero con apresuramiento, sus apresadores se dirigieron con él al palacio de Annás, el ex sumo sacerdote.

Annás era cabeza de la familia sacerdotal en ejercicio, y por deferencia a su edad, el pueblo lo reconocía como sumo sacerdote. Se buscaban y ejecutaban sus consejos como voz de Dios. A él debía ser presentado primero Jesús como cautivo del poder sacerdotal. El debía estar presente al ser examinado el preso, por temor a que Caifás, hombre de menos experiencia, no lograse el objeto que buscaban. En esta ocasión, había que valerse de la arteria y sutileza de Annás, porque había que obtener sin falta la condenación de Jesús.

Cristo iba a ser juzgado formalmente ante el Sanedrín; pero se le sometió a un juicio preliminar delante de Annás. Bajo el gobierno romano, el Sanedrín no podía ejecutar la sentencia de muerte. Podía tan sólo examinar a un preso y dar su fallo, que debía ser ratificado por las autoridades romanas. Era, pues, necesario presentar contra Cristo acusaciones que fuesen consideradas como criminales por los romanos. También debía hallarse una acusación que le condenase ante los judíos. No pocos de entre los sacerdotes y gobernantes habían sido convencidos por la enseñanza de Cristo, y sólo el temor de la excomunión les impedía confesarle. Los sacerdotes se acordaban muy bien de la pregunta que había hecho Nicodemo: "¿Juzga nuestra ley a hombre, si primero no oyere de él, y entendiera lo que ha hecho?" Esta pregunta había producido momentáneamente la disolución del concilio y estorbado sus planes. Esta vez no se iba a convocar a José de Arimatea ni a Nicodemo, pero había otros que podrían atreverse a hablar en favor de la justicia. El juicio debía conducirse de manera que uniese a los miembros del Sanedrín contra Cristo. Había dos acusaciones que los sacerdotes deseaban mantener. Si se podía probar que Jesús había blasfemado, sería condenado por los judíos. Si se le convencía de sedición, esto aseguraría su condena por los romanos. Annás trató primero de establecer la segunda acusación. Interrogó a Jesús acerca de sus discípulos y sus doctrinas, esperando que el preso dijese algo que le proporcionara material con que actuar. Pensaba arrancarle alguna declaración que probase que estaba tratando de crear una sociedad secreta con el propósito de establecer un nuevo reino. Entonces los sacerdotes le entregarían a los romanos como perturbador de la paz y fautor de insurrección.

Cristo leía el propósito del sacerdote como un libro abierto. Como si discerniese el más íntimo pensamiento de su interrogador, negó que hubiese entre él y sus seguidores vínculo secreto alguno, o que los hubiese reunido furtivamente y en las tinieblas para ocultar sus designios. No tenía secretos con respecto a sus propósitos o doctrinas. "Yo manifiestamente he hablado al mundo —contestó:— yo siempre he enseñado en la sinagoga y en el templo, donde se juntan todos los judíos, y nada he hablado en oculto".

El Salvador puso en contraste su propia manera de obrar con los métodos de sus acusadores. Durante meses le habían estado persiguiendo, procurando entramparle y emplazarle ante un tribunal secreto, donde mediante el perjurio pudiesen obtener lo que les era imposible conseguir por medios justos. Ahora estaban llevando a cabo su propósito, El arresto a medianoche por una turba, las burlas y los ultrajes que se le infligieron antes que fuese condenado, o siquiera acusado, eran la manera de actuar de ellos, y no de él. Su acción era una violación de la ley. Sus propios reglamentos declaraban que todo hombre debía ser tratado como inocente hasta que su culpabilidad fuese probada. Por sus propios reglamentos, los sacerdotes estaban condenados.

Volviéndose hacia su examinador, Jesús dijo: "¿Qué me preguntas a mi?" ¿Acaso los sacerdotes y gobernantes no habían enviado espías para vigilar sus movimientos e informarlos de todas sus palabras. ¿No habían estado presentes en toda reunión de la gente y llevado información a los sacerdotes acerca de todos sus dichos y hechos? "Pregunta a los que han oído, qué les haya yo hablado —replicó Jesús:— he aquí, éstos saben lo que yo he dicho".

Annás quedo acallado por la decisión de la respuesta. Temiendo que Cristo dijese acerca de su conducta algo que él prefería mantener encubierto, nada más le dijo por el momento. Uno de sus oficiales, lleno de ira al ver a Annás reducido al silencio, hirió a Jesús en la cara diciendo: "¿Así respondes al pontífice?"

Cristo replicó serenamente: "Si he hablado mal, da testimonio del mal: y si bien, ¿por qué me hieres?" No pronunció hirientes palabras de represalia. Su serena respuesta brotó de un corazón sin pecado, paciente y amable, a prueba de provocación.

Cristo sufrió intensamente bajo los ultrajes y los insultos. En manos de los seres a quienes había creado y en favor de los cuales estaba haciendo un sacrificio infinito, recibió toda indignidad. Y sufrió en proporción a la perfección de su santidad y su odio al pecado. El ser interrogado por hombres que obraban como demonios, le era un continuo sacrificio. El estar rodeado por seres humanos bajo el dominio de Satanás le repugnaba. Y sabía que en un momento, con un fulgor de su poder divino podía postrar en el polvo a sus crueles atormentadores. Esto le hacía tanto más difícil soportar la prueba.

Los judíos esperaban a un Mesías que se revelase con manifestación exterior. Esperaban que, por un despliegue de voluntad dominadora, cambiase la corriente de los pensamientos de los hombres y los obligase a reconocer su supremacía. Así, creían ellos, obtendría su propia exaltación y satisfaría las ambiciosas esperanzas de ellos. Así que cuando Cristo fue tratado con desprecio, sintió una fuerte tentación a manifestar su carácter divino. Por una palabra, por una mirada, podía obligar a sus perseguidores a confesar que era Señor de reyes y gobernantes, sacerdotes y templo. Pero le incumbía la tarea difícil de mantenerse en la posición que había elegido como uno con la humanidad.

Los ángeles del cielo presenciaban todo movimiento hecho contra su amado General. Anhelaban librar a Cristo. Bajo las órdenes de Dios, los ángeles son todopoderosos. En una ocasión, en obediencia a la orden de Cristo, mataron en una noche a ciento ochenta y cinco mil hombres del ejército asirio. ¡Cuán fácilmente los ángeles que contemplaban la ignominiosa escena del juicio de Cristo podrían haber testificado su indignación consumiendo a los adversarios de Dios! Pero no se les ordenó que lo hiciesen. El que podría haber condenado a sus enemigos a muerte, soportó su crueldad. Su amor por su Padre y el compromiso que contrajera desde la creación del mundo, de venir a llevar el pecado, le indujeron a soportar sin quejarse el trato grosero de aquellos a quienes había venido a salvar. Era parte de su misión soportar, en su humanidad, todas las burlas y los ultrajes que los hombres pudiesen acumular sobre él. La única esperanza de la humanidad estribaba en esta sumisión de Cristo a todo el sufrimiento que el corazón y las manos de los hombres pudieran infligirle.

Nada había dicho Cristo que pudiese dar ventaja a sus acusadores, y sin embargo estaba atado para indicar que estaba condenado. Debía haber, sin embargo, una apariencia de justicia. Era necesario que se viese una forma de juicio legal. Las autoridades estaban resueltas a apresurarlo. Conocían el aprecio que el pueblo tenía por Jesús, y temían que si cundía la noticia de su arresto, se intentase rescatarle. Además, si no se realizaba en seguida el juicio y la ejecución, habría una demora de una semana por la celebración de la Pascua. Esto podría desbaratar sus planes. Para conseguir la condenación de Jesús, dependían mayormente del clamor de la turba, formada en gran parte por el populacho de Jerusalén. Si se produjese una demora de una semana, la agitación disminuiría, y probablemente se produciría una reacción. La mejor parte del pueblo se decidiría en favor de Cristo; muchos darían un testimonio que le justificaría, sacando a luz las obras poderosas que había hecho. Esto excitaría la indignación popular contra el Sanedrín. Sus procedimientos quedarían condenados y Jesús sería libertado, y recibiría nuevo homenaje de las multitudes. Los sacerdotes y gobernantes resolvieron, pues, que antes que se conociese su propósito, Jesús fuese entregado los romanos. Pero ante todo, había que hallar una acusación. Hasta aquí, nada habían ganado. Annás ordenó que Jesús fuese llevado a Caifás. Este pertenecía a los saduceos, algunos de los cuales eran ahora los más encarnizados enemigos de Jesús. El mismo, aunque carecía de fuerza de carácter, era tan severo, despiadado e inescrupuloso como Annás. No dejaría sin probar medio alguno de destruir a Jesús. Era ahora de madrugada y muy obscuro; así que a la luz de antorchas y linternas, el grupo armado se dirigió con su preso al palacio del sumo sacerdote. Allí, mientras los miembros del Sanedrín se reunían, Annás y Caifás volvieron a interrogar a Jesús, pero sin éxito.

Cuando el concilio se hubo congregado en la sala del tribunal, Caifás tomó asiento como presidente. A cada lado estaban los jueces y los que estaban especialmente interesados en el juicio. Los soldados romanos se hallaban en la plataforma situada más abajo que el solio a cuyo pie estaba Jesús. En él se fijaban las miradas de toda la multitud. La excitación era intensa. En toda la muchedumbre, él era el único que sentía calma y serenidad. La misma atmósfera que le rodeaba parecía impregnada de influencia santa.

Caifás había considerado a Jesús como su rival. La avidez con que el pueblo oía al Salvador y la aparente disposición de muchos a aceptar sus enseñanzas, habían despertado los acerbos celos del sumo sacerdote. Pero al mirar Caifás al preso, le embargó la admiración por su porte noble y digno. Sintió la convicción de que este hombre era de filiación divina. Al instante siguiente desterró despectivamente este pensamiento. Inmediatamente dejó oír su voz en tonos burlones y altaneros, exigiendo que Jesús realizase uno de sus grandes milagros delante de ellos. Pero sus palabras cayeron en los oídos del Salvador como si no las hubiese percibido. La gente comparaba el comportamiento excitado y maligno de Annás y Caifás con el porte sereno y majestuoso de Jesús.

Aun en la mente de aquella multitud endurecida, se levantó la pregunta: ¿Será condenado como criminal este hombre de presencia y aspecto divinos?

Al percibir Caifás la influencia que reinaba, apresuró el examen. Los enemigos de Jesús se hallaban muy perplejos. Estaban resueltos a obtener su condenación, pero no sabían cómo lograrla. Los miembros del concilio estaban divididos entre fariseos y saduceos. Había acerba animosidad y controversia entre ellos; y no se atrevían a tratar ciertos puntos en disputa por temor a una rencilla. Con unas pocas palabras, Jesús podría haber excitado sus prejuicios unos contra otros, y así habría apartado de sí la ira de ellos. Caifás lo sabía, y deseaba evitar que se levantase una contienda. Había bastantes testigos para probar que Cristo había denunciado a los sacerdotes y escribas, que los había llamado hipócritas y homicidas; pero este testimonio no convenía. Los saduceos habían empleado un lenguaje similar en sus agudas disputas con los fariseos. Y un testimonio tal no habría tenido peso para los romanos, a quienes disgustaban las pretensiones de los fariseos. Había abundantes pruebas de que Jesús había despreciado las tradiciones de los Judíos y había hablado con irreverencia de muchos de sus ritos; pero acerca de la tradición, los fariseos y los saduceos estaban en conflicto; y estas pruebas no habrían tenido tampoco peso para los romanos. Los enemigos de Cristo no se atrevían a acusarle de violar el sábado, no fuese que un examen revelase el carácter de su obra. Si se sacaban a relucir sus milagros de curación, se frustraría el objeto mismo que tenían en vista los sacerdotes.

Habían sido sobornados falsos testigos para que acusasen a Jesús de incitar a la rebelión y de procurar establecer un gobierno separado. Pero su testimonio resultaba vago y contradictorio. Bajo el examen, desmentían sus propias declaraciones.

En los comienzos de su ministerio, Cristo había dicho: "Destruid este templo, y en tres días lo levantaré". En el lenguaje figurado de la profecía, había predicho así su propia muerte y resurrección. "Mas él hablaba del templo de su cuerpo". Los judíos habían comprendido estas palabras en un sentido literal, como si se refiriesen al templo de

Jerusalén. A excepción de esto, en todo lo que Jesús había dicho, nada podían hallar los sacerdotes que fuese posible emplear contra él. Repitiendo estas palabras, pero falseándolas, esperaban obtener una ventaja. Los romanos se habían dedicado a reconstruir y embellecer el templo, y se enorgullecían mucho de ello; cualquier desprecio manifestado hacia él habría de excitar seguramente su indignación. En este terreno, podían concordar los romanos y los judíos, los fariseos y los saduceos; porque todos tenían gran veneración por el templo. Acerca de este punto, se encontraron dos testigos cuyo testimonio no era tan contradictorio como el de los demás. Uno de ellos, que había sido comprado para acusar a Jesús, declaró: "Este dijo: Puedo derribar el templo de Dios, y en tres días reedificarlo". Así fueron torcidas las palabras de Cristo. Si hubiesen sido repetidas exactamente como él las dijo, no habrían servido para obtener su condena ni siquiera de parte del Sanedrín. Si Jesús hubiese sido un hombre como los demás, según aseveraban los judíos, su declaración habría indicado tan sólo un espíritu irracional y jactancioso, pero no podría haberse declarado blasfemia. Aun en la forma en que las repetían los falsos testigos, nada contenían sus palabras que los romanos pudiesen considerar como crimen digno de muerte.

Pacientemente Jesús escuchaba los testimonios contradictorios. Ni una sola palabra pronunció en su defensa. Al fin, sus acusadores quedaron enredados, confundidos y enfurecidos. El proceso no adelantaba; parecía que las maquinaciones iban a fracasar. Caifás se desesperaba. Quedaba un último recurso; había que obligar a Cristo a condenarse a sí mismo. El sumo sacerdote se levantó del sitial del juez, con el rostro descompuesto por la pasión, e indicando claramente por su voz y su porte que, si estuviese en su poder, heriría al preso que estaba delante de él. "¿No respondes nada? —exclamó,— ¿qué testifican éstos contra ti?"

Jesús guardó silencio. "Angustiado él, y afligido, no abrió su boca: como cordero fue llevado al matadero; y como oveja delante de sus trasquiladores, enmudeció, y no abrió su boca".

Por fin, Caifás, alzando la diestra hacia el cielo, se dirigió a Jesús con un juramento solemne: "Te conjuro por el Dios viviente, que nos digas si eres tú el Cristo, Hijo de Dios".

Cristo no podía callar ante esta demanda. Había tiempo en que debía callar, y tiempo en que debía hablar. No habló hasta que se le interrogó directamente. Sabía que el contestar ahora aseguraría su muerte. Pero la demanda provenía de la más alta autoridad reconocida en la nación, y en el nombre del Altísimo. Cristo no podía menos que demostrar el debido respeto a la ley. Más que esto, su propia relación con el Padre había sido puesta en tela de juicio. Debía presentar claramente su carácter y su misión. Jesús había dicho a sus discípulos: "Cualquiera pues, que me confesare delante de los hombres, le confesaré yo también delante de mi Padre que está en los cielos". Ahora, por su propio ejemplo, repitió la lección.

Todos los oídos estaban atentos, y todos los ojos se fijaban en su rostro mientras contestaba: "Tú lo has dicho". Una luz celestial parecía iluminar su semblante pálido mientras añadía: "Y aun os digo, que desde ahora habéis de ver al Hijo del hombre sentado a la diestra de la potencia de Dios, y que viene en las nubes del cielo".

Por un momento la divinidad de Cristo fulguró a través de su aspecto humano. El sumo sacerdote vaciló bajo la mirada penetrante del Salvador. Esa mirada parecía leer sus pensamientos ocultos y entrar como fuego hasta su corazón. Nunca, en el resto de su vida, olvidó aquella mirada escrutadora del perseguido Hijo de Dios. "Desde ahora —dijo Jesús,— habéis de ver al Hijo del hombre sentado a la diestra de la potencia de Dios, y que viene en las nubes del cielo". Con estas palabras, Cristo presentó el reverso de la escena que ocurría entonces. El, el Señor de la vida y la gloria, estaría sentado a la diestra de Dios. Sería el juez de toda la tierra, y su decisión sería inapelable. Entonces toda cosa secreta estaría expuesta a la luz del rostro de Dios, y se pronunciaría el juicio sobre todo hombre, según sus hechos.

Las palabras de Cristo hicieron estremecer al sumo sacerdote. El pensamiento de que hubiese de producirse una resurrección de los muertos, que hiciese comparecer a todos ante el tribunal de Dios para ser recompensados según sus obras, era un pensamiento que aterrorizaba a Caifás. No deseaba creer que en lo futuro hubiese de recibir sentencia de acuerdo con sus obras. Como en un panorama, surgieron ante su espíritu las escenas del juicio final. Por un momento, vio el pavoroso espectáculo de los sepulcros devolviendo sus muertos, con los secretos que esperaba estuviesen ocultos para siempre. Por un momento, se sintió como delante del Juez eterno, cuyo ojo, que lo ve todo, estaba leyendo su alma y sacando a luz misterios que él suponía ocultos con los muertos.

La escena se desvaneció de la visión del sacerdote. Las palabras de Cristo habían herido en lo vivo al saduceo. Caifás había negado la doctrina de la resurrección, del juicio y de una vida futura. Ahora se sintió enloquecido por una furia satánica. ¿Iba este hombre, preso delante de él, a asaltar sus más queridas teorías? Rasgando su manto, a fin de que la gente pudiese ver su supuesto horror, pidió que sin más preliminares se condenase al preso por blasfemia. "¿Qué más necesidad tenemos de testigos? —dijo.— He aquí, ahora habéis oído su blasfemia. ¿Qué os parece?" Y todos le condenaron.

La convicción, mezclada con la pasión, había inducido a Caifás a obrar como había obrado. Estaba furioso consigo mismo por creer las palabras de Cristo, y en vez de rasgar su corazón bajo un profundo sentimiento de la verdad y confesar que Jesús era el Mesías, rasgó sus ropas sacerdotales en resuelta resistencia. Este acto tenía profundo significado. Poco lo comprendía Caifás. En este acto, realizado para influir en los jueces y obtener la condena de Cristo, el sumo sacerdote se había condenado a sí mismo. Por la ley de Dios, quedaba descalificado para el sacerdocio. Había pronunciado sobre sí mismo la sentencia de muerte.

El sumo sacerdote no debía rasgar sus vestiduras. La ley levítica lo prohibía bajo sentencia de muerte. En ninguna circunstancia, en ninguna ocasión, había de desgarrar el sacerdote sus ropas, como era, entre los judíos, costumbre hacerlo en ocasión de la muerte de amigos y deudos. Los sacerdotes no debían observar esta costumbre. Cristo había dado a Moisés ordenes expresas acerca de esto.

Todo lo que llevaba el sacerdote había de ser entero y sin defecto. Estas hermosas vestiduras oficiales representaban el carácter del gran prototipo, Jesucristo. Nada que no fuese perfecto, en la vestidura y la actitud, en las palabras y el espíritu, podía ser aceptable para Dios. El es santo, y su gloria y perfección deben ser representadas por el servicio terrenal. Nada que no fuese la perfección podía representar debidamente el carácter sagrado del servicio celestial. El hombre finito podía rasgar su propio corazón mostrando un espíritu contrito y humilde. Dios lo discernía. Pero ninguna desgarradura debía ser hecha en los mantos sacerdotales, porque esto mancillaría la representación de las cosas celestiales. El sumo sacerdote que se atrevía a comparecer en santo oficio y participar en el ministerio del santuario con ropas rotas era considerado como separado de Dios.

Al rasgar sus vestiduras, se privaba de su carácter representativo y cesaba de ser acepto para Dios como sacerdote oficiante. Esta conducta de Caifás demostraba pues la pasión e imperfección humanas. Al rasgar sus vestiduras, Caifás anulaba la ley de Dios para seguir la tradición de los hombres. Una ley de origen humano estatuía que en caso de blasfemia un sacerdote podía desgarrar impunemente sus vestiduras por horror al pecado. Así la ley de Dios era anulada por las leyes de los hombres.

Cada acción del sumo sacerdote era observada con interés por el pueblo; y Caifás pensó ostentar así su piedad para impresionar. Pero en este acto, destinado a acusar a Cristo, estaba vilipendiando a Aquel de quien Dios había dicho: "Mi nombre está en él". El mismo estaba cometiendo blasfemia. Estando él mismo bajo la condenación de Dios, pronunció sentencia contra Cristo como blasfemo.

Cuando Caifás rasgó sus vestiduras, su acto prefiguraba el lugar que la nación judía como nación iba a ocupar desde entonces para con Dios. El pueblo que había sido una vez favorecido por Dios se estaba separando de él, y rápidamente estaba pasando a ser desconocido por Jehová. Cuando Cristo en la cruz exclamó: "Consumado es," y el velo del templo se rasgó de alto a bajo, el Vigilante Santo declaró que el pueblo judío había rechazado a Aquel que era el prototipo simbolizado por todas sus figuras, la substancia de todas sus sombras. Israel se había divorciado de Dios. Bien podía Caifás rasgar entonces sus vestiduras oficiales que significaban que él aseveraba ser representante del gran Sumo Pontífice; porque ya no tendrían significado para él ni para el pueblo. Bien podía el sumo sacerdote rasgar sus vestiduras en horror por sí mismo y por la nación. El Sanedrín había declarado a Jesús digno de muerte; pero era contrario a la ley judaica juzgar a un preso de noche. Un fallo legal no podía pronunciarse sino a la luz del día y ante una sesión plenaria del concilio. No obstante esto, el Salvador fue tratado como criminal condenado, y entregado para ser ultrajado por los más bajos y viles de la especie humana. El palacio del sumo sacerdote rodeaba un atrio abierto en el cual los soldados y la multitud se habían congregado. A través de ese patio, y recibiendo por todos lados burlas acerca de su aserto de ser Hijo de Dios, Jesús fue llevado a la sala de guardia. Sus propias palabras, "sentado a la diestra de la potencia" y "que viene en las nubes del cielo," eran repetidas con escarnio. Mientras estaba en la sala de guardia aguardando su juicio legal, no estaba protegido. El populacho ignorante había visto la crueldad con que había sido tratado ante el concilio, y por tanto se tomó la libertad de manifestar todos los elementos satánicos de su naturaleza. La misma nobleza y el porte divino de Cristo lo enfurecían. Su mansedumbre, su inocencia y su majestuosa paciencia, lo llenaban de un odio satánico. Pisoteaba la misericordia y la justicia. Nunca fue tratado un criminal en forma tan inhumana como lo fue el Hijo de Dios.

Pero una angustia más intensa desgarraba el corazón de Jesús; ninguna mano enemiga podría haberle asestado el golpe que le infligió su dolor más profundo. Mientras estaba soportando las burlas de un examen delante de Caifás, Cristo había sido negado por uno de sus propios discípulos.

Después de abandonar a su Maestro en el huerto, dos de ellos se habían atrevido a seguir desde lejos a la turba que se había apoderado de Jesús. Estos discípulos eran Pedro y Juan. Los sacerdotes reconocieron a Juan como discípulo bien conocido de Jesús, y le dejaron entrar en la sala esperando que, al presenciar la humillación de su Maestro, repudiaría la idea de que un ser tal fuese Hijo de Dios. Juan habló en favor de Pedro y obtuvo permiso para que entrase también.

En el atrio, se había encendido un fuego; porque era la hora más fría de la noche, precisamente antes del alba, Un grupo se reunió en derredor del fuego, y Pedro se situó presuntuosamente entre los que lo formaban. No quería ser reconocido como discípulo de Jesús. Y mezclándose negligentemente con la muchedumbre, esperaba pasar por alguno de aquellos que habían traído a Jesús a la sala.

Pero al resplandecer la luz sobre el rostro de Pedro, la mujer que cuidaba la puerta le echó una mirada escrutadora. Ella había notado que había entrado con Juan, observó el aspecto de abatimiento que había en su cara y pensó que sería un discípulo de Jesús. Era una de las criadas de la casa de Caifás, y tenía curiosidad por saber si estaba en lo cierto. Dijo a Pedro: "¿No eres tú también de los discípulos de este hombre?" Pedro se sorprendió y confundió; al instante todos los ojos del grupo se fijaron en él. El hizo como que no la comprendía, pero ella insistió y dijo a los que la rodeaban que ese hombre estaba con Jesús. Pedro se vio obligado a contestar, y dijo airadamente: "Mujer, no le conozco". Esta era la primera negación, e inmediatamente el gallo cantó. ¡Oh, Pedro, tan pronto te avergüenzas de tu Maestro! ¡Tan pronto niegas a tu Señor!

El discípulo Juan, al entrar en la sala del tribunal, no trató de ocultar el hecho de que era seguidor de Jesús. No se mezcló con la gente grosera que vilipendiaba a su Maestro. No fue interrogado, porque no asumió una falsa actitud y así no se hizo sospechoso. Buscó un rincón retraído, donde quedase inadvertido para la muchedumbre, pero tan cerca de Jesús como le fuese posible estar. Desde allí, pudo ver y oír todo lo que sucedió durante el proceso de su Señor. Pedro no había querido que fuese conocido su verdadero carácter. Al asumir un aire de indiferencia, se había colocado en el terreno del enemigo, y había caído fácil presa de la tentación. Si hubiese sido llamado a pelear por su Maestro, habría sido un soldado valeroso; pero cuando el dedo del escarnio le señaló, se mostró cobarde. Muchos que no rehuyen una guerra activa por su Señor, son impulsados por el ridículo a negar su fe. Asociándose con aquellos a quienes debieran evitar, se colocan en el camino de la tentación. Invitan al enemigo a tentarlos, y se ven inducidos a decir y hacer lo que nunca harían en otras circunstancias. El discípulo de Cristo que en nuestra época disfraza su fe por temor a sufrir oprobio niega a su Señor tan realmente como lo negó Pedro en la sala del tribunal.

Pedro procuraba no mostrarse interesado en el juicio de su Maestro, pero su corazón estaba desgarrado por el pesar al oír las crueles burlas y ver los ultrajes que sufría. Más aun, se sorprendía y airaba de que Jesús se humillase a sí mismo y a sus seguidores sometiéndose a un trato tal. A fin de ocultar sus verdaderos sentimientos, trató de unirse a los perseguidores de Jesús en sus bromas inoportunas, pero su apariencia no era natural. Mentía por sus actos, y mientras procuraba hablar despreocupadamente no podía refrenar sus expresiones de indignación por los ultrajes infligidos a su Maestro.

La atención fue atraída a él por segunda vez, y se le volvió a acusar de ser seguidor de Jesús. Declaró ahora con juramento: "No conozco al hombre". Le fue dada otra oportunidad. Transcurrió una hora, y uno de los criados del sumo sacerdote, pariente cercano del hombre a quien Pedro había cortado una oreja, le preguntó: "¿No te vi yo en el huerto con él?" "Verdaderamente tú eres de ellos; porque eres Galileo, y tu habla es semejante". Al oír esto, Pedro se enfureció. Los discípulos de Jesús eran conocidos por la pureza de su lenguaje, y a fin de engañar plenamente a los que le interrogaban y justificar la actitud que había asumido, Pedro negó ahora a su Maestro con maldiciones y juramentos. El gallo volvió a cantar. Pedro lo oyó entonces, y recordó las palabras de Jesús: "Antes que el gallo haya cantado dos veces, me negarás tres veces".

Mientras los juramentos envilecedores estaban todavía en los labios de Pedro y el agudo canto del gallo repercutía en sus oídos, el Salvador se desvió de sus ceñudos jueces y miró de lleno a su pobre discípulo. Al mismo tiempo, los ojos de Pedro fueron atraídos hacia su Maestro. En aquel amable semblante, leyó profunda compasión y pesar, pero no había ira.

Al ver ese rostro pálido y doliente, esos labios temblorosos, esa mirada de compasión y perdón, su corazón fue atravesado como por una flecha. Su conciencia se despertó. Los recuerdos acudieron a su memoria y Pedro rememoró la promesa que había hecho unas pocas horas antes, de que iría con su Señor a la cárcel y a la muerte. Recordó su pesar cuando el Salvador le dijo en el aposento alto que negaría a su Señor tres veces esa misma noche. Pedro acababa de declarar que no conocía a Jesús, pero ahora comprendía, con amargo pesar, cuán bien su Señor lo conocía a él, y cuán exactamente había discernido su corazón, cuya falsedad desconocía él mismo.

Una oleada de recuerdos le abrumó. La tierna misericordia del Salvador, su bondad y longanimidad, su amabilidad y paciencia para con sus discípulos tan llenos de yerros: lo recordó todo. También recordó la advertencia: "Simón, Simón, he aquí Satanás os ha pedido para zarandaros como a trigo; mas yo he rogado por ti que tu fe no falte". Reflexionó con horror en su propia ingratitud, su falsedad, su perjurio. Una vez más miró a su Maestro, y vio una mano sacrílega que le hería en el rostro. No pudiendo soportar ya más la escena, salió corriendo de la sala con el corazón quebrantado.

Siguió corriendo en la soledad y las tinieblas, sin saber ni querer saber adónde. Por fin se encontró en Getsemaní. Su espíritu evocó vívidamente la escena ocurrida algunas horas antes. El rostro dolorido de su Señor, manchado con sudor de sangre y convulsionado por la angustia, surgió delante de él. Recordó con amargo remordimiento que Jesús había llorado y agonizado en oración solo, mientras que aquellos que debieran haber estado unidos con él en esa hora penosa estaban durmiendo. Recordó su solemne encargo: "Velad y orad, para que no entréis en tentación". Volvió a presenciar la escena de la sala del tribunal. Torturaba su sangrante corazón el saber que había añadido él la carga más pesada a la humillación y el dolor del Salvador. En el mismo lugar donde Jesús había derramado su alma agonizante ante su Padre, cayó Pedro sobre su rostro y deseó morir.

Por haber dormido cuando Jesús le había invitado a velar y orar, Pedro había preparado el terreno para su grave pecado. Todos los discípulos, por dormir en esa hora crítica, sufrieron una gran pérdida. Cristo conocía la prueba de fuego por la cual iban a pasar. Sabía cómo iba a obrar Satanás para paralizar sus sentidos a fin de que no estuviesen preparados para la prueba. Por lo tanto, los había amonestado. Si hubiesen pasado en vigilia y oración aquellas horas transcurridas en el huerto, Pedro no habría tenido que depender de su propia y débil fuerza. No habría negado a su Señor. Si los discípulos hubiesen velado con Cristo en su agonía, habrían estado preparados para contemplar sus sufrimientos en la cruz. Habrían comprendido en cierto grado la naturaleza de su angustia abrumadora. Habrían podido recordar sus palabras que predecían sus sufrimientos, su muerte y su resurrección. En medio de la lobreguez de la hora más penosa, algunos rayos de luz habrían iluminado las tinieblas y sostenido su fe.

Tan pronto como fue de día, el Sanedrín se volvió a reunir, y Jesús fue traído de nuevo a la sala del concilio. Se había declarado Hijo de Dios, y habían torcido sus palabras de modo que constituyeran una acusación contra él. Pero no podían condenarle por esto, porque muchos de ellos no habían estado presentes en la sesión nocturna, y no habían oído sus palabras. Y sabían que el tribunal romano no hallaría en ellas cosa digna de muerte. Pero si todos podían oírle repetir con sus propios labios estas mismas palabras, podrían obtener su objeto. Su aserto de ser el Mesías podía ser torcido hasta hacerlo aparecer como una tentativa de sedición política.

"¿Eres tú el Cristo? —dijeron,— dínoslo". Pero Cristo permaneció callado. Continuaron acosándole con preguntas. Al fin, con acento de la más profunda tristeza, respondió: "Si os lo dijere, no creeréis; y también si os preguntare, no me responderéis, ni me soltaréis". Pero a fin de que quedasen sin excusa, añadió la solemne advertencia: "Mas después de ahora el Hijo del hombre se asentará a la diestra de la potencia de Dios".

"¿Luego tú eres Hijo de Dios?" preguntaron a una voz. Y él les dijo: "Vosotros decís que soy". Clamaron entonces: "¿Qué más testimonio deseamos? porque nosotros lo hemos oído de su boca".

Y así, por la tercera condena de las autoridades judías, Jesús había de morir. Todo lo que era necesario ahora, pensaban, era que los romanos ratificasen esta condena, y le entregasen en sus manos. Entonces se produjo la tercera escena de ultrajes y burlas, peores aún que las infligidas por el populacho ignorante. En la misma presencia de los sacerdotes y gobernantes, y con su sanción, sucedió esto. Todo sentimiento de simpatía o humanidad se había apagado en su corazón. Si bien sus argumentos eran débiles y no lograban acallar la voz de Jesús, tenían otras armas, como las que en toda época se han usado para hacer callar a los herejes: el sufrimiento, la violencia y la muerte.

Cuando los jueces pronunciaron la condena de Jesús, una furia satánica se apoderó del pueblo. El rugido de las voces era como el de las fieras. La muchedumbre corrió hacia Jesús, gritando: ¡Es culpable! ¡Matadle! De no haber sido por los soldados romanos, Jesús no habría vivido para ser clavado en la cruz del Calvario. Habría sido despedazado delante de sus jueces, si no hubiese intervenido la autoridad romana y, por la fuerza de las armas, impedido la violencia de la turba.

Los paganos se airaron al ver el trato brutal infligido a una persona contra quien nada había sido probado. Los oficiales romanos declararon que los judíos, al pronunciar sentencia contra Jesús, estaban infringiendo las leyes del poder romano, y que hasta era contrario a la ley judía condenar a un hombre a muerte por su propio testimonio. Esta intervención introdujo cierta calma en los procedimientos; pero en los dirigentes judíos habían muerto la vergüenza y la compasión.

Los sacerdotes y gobernantes se olvidaron de la dignidad de su oficio, y ultrajaron al Hijo de Dios con epítetos obscenos. Le escarnecieron acerca de su parentesco, y declararon que su aserto de proclamarse el Mesías le hacía merecedor de la muerte más ignominiosa. Los hombres más disolutos sometieron al Salvador a ultrajes infames. Se le echó un viejo manto sobre la cabeza, y sus perseguidores le herían en el rostro, diciendo: "Profetízanos tú, Cristo, quién es el que te ha herido". Cuando se le quitó el manto, un pobre miserable le escupió en el rostro.

Los ángeles de Dios registraron fielmente toda mirada, palabra y acto insultantes de los cuales fue objeto su amado General. Un día, los hombres viles que escarnecieron y escupieron el rostro sereno y pálido de Cristo, mirarán aquel rostro en su gloria, más resplandeciente que el sol.

3

JUDAS

La historia de Judas presenta el triste fin de una vida que podría haber sido honrada de Dios. Si Judas hubiese muerto antes de su último viaje a Jerusalén, habría sido considerado como un hombre digno de un lugar entre los doce, y su desaparición habría sido muy sentida. A no ser por los atributos revelados al final de su historia, el aborrecimiento que le ha seguido a través de los siglos no habría existido. Pero su carácter fue desenmascarado al mundo con un propósito. Había de servir de advertencia a todos los que, como él, hubiesen de traicionar cometidos sagrados.

Un poco antes de la Pascua, Judas había renovado con los sacerdotes su contrato de entregar a Jesús en sus manos. Entonces se determinó que el Salvador fuese prendido en uno de los lugares donde se retiraba a meditar y orar. Desde el banquete celebrado en casa de Simón, Judas había tenido oportunidad de reflexionar en la acción que había prometido ejecutar, pero su propósito no había cambiado. Por treinta piezas de plata —el precio de un esclavo— entregó al Señor de gloria a la ignominia y la muerte.

Judas tenía, por naturaleza, fuerte apego al dinero; pero no había sido siempre bastante corrupto para realizar una acción como ésta. Había fomentado el mal espíritu de la avaricia, hasta que éste había llegado a ser el motivo predominante de su vida. El amor al dinero superaba a su amor por Cristo. Al llegar a ser esclavo de un vicio, se entregó a Satanás para ser arrastrado a cualquier bajeza de pecado.

Judas se había unido a los discípulos cuando las multitudes seguían a Cristo. La enseñanza del Salvador conmovía sus corazones mientras pendían arrobados de las palabras que pronunciaba en la sinagoga, a orillas del mar o en el monte. Judas vio a los enfermos, los cojos y los ciegos acudir a Jesús desde los pueblos y las ciudades. Vio a los moribundos puestos a sus pies. Presenció las poderosas obras del Salvador al sanar a los enfermos, echar a los demonios y resucitar a los muertos. Sintió en su propia persona la evidencia del poder de Cristo. Reconoció la enseñanza de Cristo como superior a todo lo que hubiese oído. Amaba al gran Maestro, y deseaba estar con él. Sintió un deseo de ser transformado en su carácter y su vida, y esperó obtenerlo relacionándose con Jesús. El Salvador no rechazó a Judas. Le dio un lugar entre los doce. Le confió la obra de un evangelista. Le dotó de poder para sanar a los enfermos y echar a los demonios. Pero Judas no llegó al punto de entregarse plenamente a Cristo. No renunció a su ambición mundanal o a su amor al dinero. Aunque aceptó el puesto de ministro de Cristo, no se dejó modelar por la acción divina. Creyó que podía conservar su propio juicio y sus opiniones, y cultivó una disposición a criticar y acusar.

Judas era tenido en alta estima por los discípulos, y ejercía gran influencia sobre ellos. Tenía alta opinión de sus propias cualidades y consideraba a sus hermanos muy inferiores a él en juicio y capacidad. Ellos no veían sus oportunidades, pensaba él, ni aprovechaban las circunstancias. La iglesia no prosperaría nunca con hombres tan cortos de vista como directores. Pedro era impetuoso; obraba sin consideración. Juan, que atesoraba las verdades que caían de los labios de Cristo, era considerado por Judas como mal financista. Mateo, cuya preparación le había enseñado a ser exacto en todas las cosas, era muy meticuloso en cuanto a la honradez, y estaba siempre contemplando las palabras de Cristo, y se absorbía tanto en ellas que, según pensaba Judas, nunca se le podría confiar la transacción de asuntos que requiriesen previsión y agudeza. Así pasaba Judas revista a todos los discípulos, y se lisonjeaba porque, de no tener él su capacidad para manejar las cosas, la iglesia se vería con frecuencia en perplejidad y embarazo. Judas se consideraba como el único capaz, aquel a quien no podía aventajársele en los negocios. En su propia estima, reportaba honra a la causa, y como tal se representaba siempre. Judas estaba ciego en cuanto a su propia debilidad de carácter, y Cristo le colocó donde tuviese oportunidad de verla y corregirla. Como tesorero de los discípulos, estaba llamado a proveer a las necesidades del pequeño grupo y a aliviar las necesidades de los pobres. Cuando, en el aposento de la Pascua, Jesús le dijo: "Lo que haces, hazlo más presto," Los discípulos pensaron que le ordenaba comprar lo necesario para la fiesta o dar algo a los pobres. Mientras servía a otros, Judas podría haber desarrollado un espíritu desinteresado. Pero aunque escuchaba diariamente las lecciones de Cristo y presenciaba su vida de abnegación, Judas alimentaba su disposición avara. Las pequeñas sumas que llegaban a sus manos, eran una continua tentación. Con frecuencia, cuando hacía un pequeño servicio para Cristo, o dedicaba tiempo a propósitos religiosos, se cobraba de este escaso fondo. A sus propios ojos, estos pretextos servían para excusar su acción; pero a la vista de Dios, era ladrón.

La declaración con frecuencia repetida por Cristo de que su reino no era de este mundo, ofendía a Judas. El había trazado una conducta de acuerdo con la cual él esperaba que Cristo obrase. Se había propuesto que Juan el Bautista fuese librado de la cárcel. Pero he aquí que Juan había sido decapitado. Y Jesús, en vez de aseverar su derecho real y vengar la muerte de Juan, se retiró con sus discípulos a un lugar del campo. Judas quería una guerra más agresiva. Pensaba que si Jesús no impidiese a los discípulos ejecutar sus planes, la obra tendría más éxito. Notaba la creciente enemistad de los dirigentes judíos, y vio su desafío quedar sin respuesta cuando exigieron de Cristo una señal del cielo. Su corazón estaba abierto a la incredulidad, y el enemigo le proporcionaba motivos de duda y rebelión. ¿Por qué se espaciaba tanto Jesús en lo que era desalentador? ¿Por qué predecía pruebas y persecución para sí y sus discípulos? La perspectiva de obtener un puesto elevado en el nuevo reino había inducido a Judas a abrazar la causa de Cristo. ¿Iban a quedar frustradas sus esperanzas? Judas no había llegado a la conclusión de que Jesús no fuera el Hijo de Dios; pero dudaba, y procuraba hallar alguna explicación de sus poderosas obras.

A pesar de la propia enseñanza del Salvador, Judas estaba de continuo sugiriendo la idea de que Cristo iba a reinar como rey en Jerusalén. Procuró obtenerlo cuando los cinco mil fueron alimentados. En esta ocasión, Judas ayudó a distribuir el alimento a la hambrienta multitud. Tuvo oportunidad de ver el beneficio que estaba a su alcance impartir a otros. Sintió la satisfacción que siempre proviene de servir a Dios. Ayudó a traer a los enfermos y dolientes de entre la multitud a Cristo. Vio qué alivio, qué gozo y alegría penetraban en los corazones humanos por el poder sanador del Restaurador. Podría haber comprendido los métodos de Cristo. Pero estaba cegado por sus propios deseos egoístas. Judas fue el primero en aprovecharse del entusiasmo despertado por el milagro de los panes. El fue quien puso en pie el proyecto de tomar a Cristo por la fuerza y hacerle rey. Sus esperanzas eran grandes y su desencanto fue amargo.

El discurso de Cristo en la sinagoga acerca del pan de vida, fue el punto decisivo en la historia de Judas. Oyó las palabras: "Si no comiereis la carne del Hijo del hombre, y bebiereis su sangre, no tendréis vida en vosotros". Vio que Cristo ofrecía beneficio espiritual más bien que mundanal. Se consideraba como previsor, y pensó que podía vislumbrar que Cristo no tendría honores ni podría conceder altos puestos a sus seguidores. Resolvió no unirse tan íntimamente con Cristo que no pudiese apartarse. Quedaría a la expectativa, y así lo hizo.

Desde ese tiempo expresó dudas que confundían a los discípulos. Introducía controversias y sentimientos engañosos, repitiendo los argumentos presentados por los escribas y fariseos contra los asertos de Cristo. Todas las dificultades y cruces, grandes y pequeñas, las contrariedades y aparentes estorbos para el adelantamiento del Evangelio, eran interpretados por Judas como evidencias contra su veracidad. Introducía pasajes de la Escritura que no tenían relación con las verdades que Cristo presentaba. Estos pasajes, separados de su contexto, dejaban perplejos a los discípulos y aumentaban el desaliento que constantemente los apremiaba. Sin embargo, Judas hacía todo esto de una manera que parecía concienzuda. Y mientras los discípulos buscaban pruebas que confirmasen las palabras del gran Maestro, Judas los conducía casi imperceptiblemente por otro camino. Así, de una manera muy religiosa y aparentemente sabia, daba a los asuntos un cariz diferente del que Jesús les había dado y atribuía a sus palabras un significado que él no les había impartido. Sus sugestiones excitaban constantemente un deseo ambicioso de preferencia temporal, y así apartaban a los discípulos de las cosas importantes que debieran haber considerado. La disensión en cuanto a cuál de ellos era el mayor era generalmente provocada por Judas.

Cuando Jesús presentó al joven rico la condición del discipulado, Judas sintió desagrado. Pensó que se había cometido un error. Si a hombres como este joven príncipe podía relacionárselos con los creyentes, ayudarían a sostener la causa de Cristo. Si se le hubiese recibido a él, Judas, como consejero, pensaba, podría haber sugerido muchos planes ventajosos para la pequeña iglesia. Sus principios y métodos diferirían algo de los de Cristo, pero en estas cosas se creía más sabio que Cristo.

En todo lo que Cristo decía a sus discípulos, había algo con lo cual Judas no estaba de acuerdo en su corazón. Bajo su influencia, la levadura del desamor estaba haciendo rápidamente su obra. Los discípulos no veían la verdadera influencia que obraba en todo esto; pero Jesús veía que Satanás estaba comunicando sus atributos a Judas y abriendo así un conducto por el cual podría influir en los otros discípulos. Y esto Cristo lo declaró un año antes de su entrega. "¿No he escogido yo a vosotros doce —dijo,— y uno de vosotros es diablo?"

Sin embargo, Judas no se oponía abiertamente ni parecía poner en duda las lecciones del Salvador. No murmuró abiertamente hasta la fiesta celebrada en la casa de Simón. Cuando María ungió los pies del Salvador, Judas manifestó su disposición codiciosa. Bajo el reproche de Jesús, su espíritu se transformó en hiel. El orgullo herido y el deseo de venganza quebrantaron las barreras, y la codicia durante tanto tiempo alimentada le dominó. Así sucederá a todo aquel que persista en mantener trato con el pecado. Cuando no se resisten y vencen los elementos de la depravación, responden ellos a la tentación de

Satanás y el alma es llevada cautiva a su voluntad. Pero Judas no estaba completamente empedernido. Aun después de haberse comprometido dos veces a traicionar al Salvador, tuvo oportunidad de arrepentirse. En ocasión de la cena de Pascua, Jesús demostró su divinidad revelando el propósito del traidor. Incluyó tiernamente a Judas en el servicio hecho a los discípulos. Pero no fue oída su última súplica de amor. Entonces el caso de Judas fue decidido, y los pies que Jesús había lavado salieron para consumar la traición.

Judas razonó que si Jesús había de ser crucificado, el hecho acontecería de todos modos. Su propio acto de entregar al Salvador no cambiaría el resultado. Si Jesús no debía morir, lo único que haría sería obligarle a librarse. En todo caso, Judas ganaría algo por su traición. Calculaba que había hecho un buen negocio traicionando a su Señor. Sin embargo, Judas no creía que Cristo se dejaría arrestar. Al entregarle, era su propósito enseñarle una lección. Se proponía desempeñar un papel que indujera al Salvador a tener desde entonces cuidado de tratarle con el debido respeto. Pero Judas no sabía que estaba entregando a Cristo a la muerte. ¡Cuántas veces, mientras el Salvador enseñaba en parábolas, los escribas y fariseos habían sido arrebatados por sus ilustraciones sorprendentes! ¡Cuántas veces habían pronunciado juicio contra sí mismos! Con frecuencia, cuando la verdad penetraba en su corazón, se habían llenado de ira, y habían alzado piedras para arrojárselas; pero vez tras vez había escapado. Puesto que había escapado de tantas trampas, pensaba Judas, no se dejaría ciertamente prender esta vez tampoco.

Judas decidió probar el asunto. Si Jesús era realmente el Mesías, el pueblo, por el cual había hecho tanto, se reuniría en derredor suyo, y le proclamaría rey. Esto haría decidirse para siempre a muchos espíritus que estaban ahora en la incertidumbre. Judas tendría en su favor el haber puesto al rey en el trono de David. Y este acto le aseguraría el primer puesto, el siguiente a Cristo en el nuevo reino.

El falso discípulo desempeñó su parte en la entrega de Jesús. En el huerto, cuando dijo a los caudillos de la turba: "Al que yo besare, aquél es: prendedle," creía plenamente que Cristo escaparía de sus tiranos. Entonces, si le inculpaban, diría: ¿No os había dicho que lo prendieseis?

Judas contempló a los apresadores de Cristo mientras, actuando según sus palabras, le ataban firmemente. Con asombro vio que el Salvador se dejaba llevar. Ansiosamente le siguió desde el huerto hasta el proceso delante de los gobernantes judíos. A cada movimiento, esperaba que Cristo sorprendiese a sus enemigos presentándose delante de ellos como Hijo de Dios y anulando todas sus maquinaciones y poder. Pero mientras hora tras hora transcurría, y Jesús se sometía a todos los abusos acumulados sobre él, se apoderó del traidor un terrible temor de haber entregado a su Maestro a la muerte.

Cuando el juicio se acercaba al final, Judas no pudo ya soportar la tortura de su conciencia culpable. De repente, una voz ronca cruzó la sala, haciendo estremecer de terror todos los corazones: ¡Es inocente; perdónale, oh, Caifás!

Se vio entonces a Judas, hombre de alta estatura, abrirse paso a través de la muchedumbre asombrada. Su rostro estaba pálido y desencajado, y había en su frente gruesas gotas de sudor. Corriendo hacia el sitial del juez, arrojó delante del sumo sacerdote las piezas de plata que habían sido el precio de la entrega de su Señor. Asiéndose vivamente del manto de Caifás, le imploró que soltase a Jesús y declaró que no había hecho nada digno de muerte. Caifás se desprendió airadamente de él, pero quedó confuso y sin saber qué decir. La perfidia de los sacerdotes quedaba revelada. Era evidente que habían comprado al discípulo para que traicionase a su Maestro. "Yo he pecado —gritó otra vez Judas— entregando la sangre inocente". Pero el sumo sacerdote, recobrando el dominio propio, contestó con desprecio: "¿Qué se nos da a nosotros? Viéraslo tú". Los sacerdotes habían estado dispuestos a hacer de Judas su instrumento; pero despreciaban su bajeza. Cuando les hizo su confesión, lo rechazaron desdeñosamente.

Judas se echó entonces a los pies de Jesús, reconociéndole como Hijo de Dios, y suplicándole que se librase. El Salvador no reprochó a su traidor. Sabía que Judas no se arrepentía; su confesión fue arrancada a su alma culpable por un terrible sentimiento de condenación en espera del juicio, pero no sentía un profundo y desgarrador pesar por haber entregado al inmaculado Hijo de Dios y negado al Santo de Israel. Sin embargo, Jesús no pronunció una sola palabra de condenación. Miró compasivamente a Judas y dijo: "Para esta hora he venido al mundo".

Un murmullo de sorpresa corrió por toda la asamblea. Con asombro, presenciaron todos la longanimidad de Cristo hacia su traidor. Otra vez sintieron la convicción de que ese hombre era más que mortal. Pero si era el Hijo de Dios, se preguntaban, ¿por qué no se libraba de sus ataduras y triunfaba sobre sus acusadores?

Judas vio que sus súplicas eran vanas, y salió corriendo de la sala exclamando: ¡Demasiado tarde! ¡Demasiado tarde! Sintió que no podía vivir para ver a Cristo crucificado y, desesperado, salió y se ahorcó.

Más tarde ese mismo día, en el trayecto del tribunal de Pilato al Calvario, se produjo una interrupción en los gritos y burlas de la perversa muchedumbre que conducía a Jesús al lugar de la crucifixión. Mientras pasaban por un lugar retirado, vieron al pie de un árbol seco, el cuerpo de Judas. Era un espectáculo repugnante. Su peso había roto la soga con la cual se había colgado del árbol. Al caer, su cuerpo había quedado horriblemente mutilado, y los perros lo estaban devorando. Sus restos fueron inmediatamente enterrados: pero hubo menos burlas entre la muchedumbre, y más de uno revelaba en su rostro pálido pensamientos íntimos. La retribución parecía estar cayendo ya sobre aquellos que eran culpables de la sangre de Jesús.

4

EN EL TRIBUNAL DE PILATO

EN EL tribunal de Pilato, el gobernador romano, Cristo estaba atado como un preso. En derredor de él estaba la guardia de soldados, y el tribunal se llenaba rápidamente de espectadores. Afuera, cerca de la entrada, estaban los jueces del Sanedrín, los sacerdotes, los príncipes, los ancianos y la turba. Después de condenar a Jesús, el concilio del Sanedrín se había dirigido a Pilato para que confirmase y ejecutase la sentencia. Pero estos funcionarios judíos no querían entrar en el tribunal romano. Según su ley ceremonial, ello los habría contaminado y les habría impedido tomar parte en la fiesta de la Pascua. En su ceguera, no veían que el odio homicida había contaminado sus corazones. No veían que Cristo era el verdadero Cordero pascual, y que, por haberle rechazado, para ellos la gran fiesta había perdido su significado.

Cuando el Salvador fue llevado al tribunal, Pilato le miró con ojos nada amistosos. El gobernador romano había sido sacado con premura de su dormitorio, y estaba resuelto a despachar el caso tan pronto como fuese posible. Estaba preparado para tratar al preso con rigor. Asumiendo su expresión más severa, se volvió para ver qué clase de hombre tenía que examinar, por el cual había sido arrancado al descanso en hora tan temprana. Sabía que debía tratarse de alguno a quien las autoridades judías anhelaban ver juzgado y castigado apresuradamente.

Pilato miró a los hombres que custodiaban a Jesús, y luego su mirada descansó escrutadoramente en Jesús. Había tenido que tratar con toda clase de criminales; pero nunca antes había comparecido ante él un hombre que llevase rasgos de tanta bondad y nobleza. En su cara no vio vestigios de culpabilidad, ni expresión de temor, ni audacia o desafío. Vio a un hombre de porte sereno y digno, cuyo semblante no llevaba los estigmas de un criminal, sino la firma del cielo.

La apariencia de Jesús hizo una impresión favorable en Pilato. Su naturaleza mejor fue despertada. Había oído hablar de Jesús y de sus obras. Su esposa le había contado algo de los prodigios realizados por el profeta galileo, que sanaba a los enfermos y resucitaba a los muertos. Ahora esto revivía como un sueño en su mente. Recordaba rumores que había oído de diversas fuentes. Resolvió exigir a los judíos que presentasen sus acusaciones contra el preso.

¿Quién es este hombre, y porqué le habéis traído? dijo. ¿Qué acusación presentáis contra él? Los judíos quedaron desconcertados. Sabiendo que no podían comprobar sus acusaciones contra Cristo, no deseaban un examen público. Respondieron que era un impostor llamado Jesús de Nazaret.

Pilato volvió a preguntar: "¿Qué acusación traéis contra este hombre?" Los sacerdotes no contestaron su pregunta sino que con palabras que demostraban su irritación, dijeron: "Si éste no fuera malhechor, no te lo habríamos entregado". Cuando los miembros del Sanedrín, los primeros hombres de la nación, te traen un hombre que consideran digno de muerte ¿es necesario pedir una acusación contra él? Esperaban hacer sentir a Pilato su importancia, y así inducirle a acceder a su petición sin muchos preliminares. Deseaban ansiosamente que su sentencia fuese ratificada; porque sabían que el pueblo que había presenciado las obras admirables de Cristo podría contar una historia muy diferente de la que ellos habían fraguado y repetían ahora.

Los sacerdotes pensaban que con el débil y vacilante Pilato podrían llevar a cabo sus planes sin dificultad. En ocasiones anteriores había firmado apresuradamente sentencias capitales, condenando a la muerte a hombres que ellos sabían que no eran dignos de ella. En su estima, la vida de un preso era de poco valor; y le era indiferente que fuese inocente o culpable. Los sacerdotes esperaban que Pilato impusiera ahora la pena de muerte a Jesús sin darle audiencia. Lo pedían como favor en ocasión de su gran fiesta nacional.

Pero había en el preso algo que impidió a Pilato hacer esto. No se atrevió a ello. Discernió el propósito de los sacerdotes. Recordó como, no mucho tiempo antes, Jesús había resucitado a Lázaro, hombre que había estado muerto cuatro días, y resolvió saber, antes de firmar la sentencia de condenación, cuáles eran las acusaciones que se hacían contra él, y si podían ser probadas.

Si vuestro juicio es suficiente, dijo, ¿para qué traerme el preso? "Tomadle vosotros, y juzgadle según vuestra ley". Así apremiados, los sacerdotes dijeron que ya le habían sentenciado, pero debían tener la aprobación de Pilato para hacer válida su condena. ¿Cuál es vuestra sentencia? preguntó Pilato. La muerte, contestaron, pero no nos es licito darla a nadie. Pidieron a Pilato que aceptase su palabra en cuanto a la culpabilidad de Cristo, e hiciese cumplir su sentencia. Ellos estaban dispuestos a asumir la responsabilidad del resultado.

Pilato no era un juez justo ni concienzudo; pero aunque débil en fuerza moral, se negó a conceder lo pedido. No quiso condenar a Jesús hasta que se hubiese sostenido una acusación contra él.

Los sacerdotes estaban en un dilema. Veían que debían cubrir su hipocresía con el velo más grueso. No debían dejar ver que Jesús había sido arrestado por motivos religiosos. Si presentaban esto como una razón, su procedimiento no tendría peso para Pilato. Debían hacer aparecer a Jesús como obrando contra la ley común; y entonces se le podría castigar como ofensor político. Entre los judíos, se producían constantemente tumultos e insurrecciones contra el gobierno romano. Los romanos habían tratado estas revueltas muy rigurosamente, y estaban siempre alerta para reprimir cuanto pudiese conducir a un levantamiento.

Tan sólo unos días antes de esto, los fariseos habían tratado de entrampar a Cristo con la pregunta: "¿Nos es licito dar tributo a César o no?" Pero Cristo había desenmascarado su hipocresía. Los romanos que estaban presentes habían visto el completo fracaso de los maquinadores, y su desconcierto al oír su respuesta: "Dad a César lo que es de César".

Ahora los sacerdotes pensaron hacer aparentar que en esa ocasión

Cristo había enseñado lo que ellos esperaban que enseñara. En su extremo apremio, recurrieron a falsos testigos, y "comenzaron a acusarle, diciendo: A éste hemos hallado que pervierte la nación, y que veda dar tributo a César, diciendo que él es el Cristo, el rey". Eran tres acusaciones, pero cada una sin fundamento. Los sacerdotes lo sabían, pero estaban dispuestos a cometer perjurio con tal de obtener sus fines.

Pilato discernió su propósito. No creía que el preso hubiese maquinado contra el gobierno. Su apariencia mansa y humilde no concordaba en manera alguna con la acusación. Pilato estaba convencido de que un tenebroso complot había sido tramado para destruir a un hombre inocente que estorbaba a los dignatarios judíos. Volviéndose a Jesús, preguntó: "¿Eres tú el Rey de los judíos?" El Salvador contestó: "Tú lo dices". Y mientras hablaba, su semblante se iluminó como si un rayo de sol resplandeciese sobre él.

Cuando oyeron su respuesta, Caifás y los que con él estaban invitaron a Pilato a reconocer que Jesús había admitido el crimen que le atribuían. Con ruidosos clamores, sacerdotes, escribas y gobernantes exigieron que fuese sentenciado a muerte. A esos clamores se unió la muchedumbre, y el ruido era ensordecedor. Pilato estaba confuso. Viendo que Jesús no contestaba a sus acusadores, le dijo: "¿No respondes algo? Mira de cuántas cosas te acusan. Mas Jesús ni aun con eso respondió".

De pie, detrás de Pilato, a la vista de todos los que estaban en el tribunal, Cristo oyó los insultos; pero no contestó una palabra a todas las falsas acusaciones presentadas contra él. Todo su porte daba evidencia de una inocencia consciente. Permanecía inconmovible ante la furia de las olas que venían a golpearle. Era como si una enorme marejada de ira, elevándose siempre más alto, se volcase como las olas del bullicioso océano en derredor suyo, pero sin tocarle. Guardaba silencio, pero su silencio era elocuencia. Era como una luz que resplandeciese del hombre interior al exterior.

La actitud de Jesús asombraba a Pilato. Se preguntaba: ¿Es indiferente este hombre a lo que está sucediendo porque no se interesa en salvar su vida? Al ver a Jesús soportar los insultos y las burlas sin responder, sentía que no podía ser tan injusto como los clamorosos sacerdotes. Esperando obtener de él la verdad y escapar al tumulto de la muchedumbre, Pilato llevó a Jesús aparte y le volvió a preguntar: " ¿Eres tú el Rey de los Judíos?"

Jesús no respondió directamente a esta pregunta. Sabía que el Espíritu Santo estaba contendiendo con Pilato, y le dio oportunidad de reconocer su convicción. "¿Dices tú esto de ti mismo —preguntó,— o te lo han dicho otros de mí?" Es decir, ¿eran las acusaciones de los sacerdotes, o un deseo de recibir luz de Cristo lo que motivaba la pregunta de Pilato? Pilato comprendió lo que quería decir Cristo; pero un sentimiento de orgullo se irguió en su corazón. No quiso reconocer la convicción que se apoderaba de él. "¿Soy yo Judío? —dijo.— Tu gente, y los pontífices, te han entregado a mi: ¿qué has hecho?"

La áurea oportunidad de Pilato había pasado. Sin embargo Jesús no le dejó sin darle algo más de luz. Aunque no contestó directamente la pregunta de Pilato, expuso claramente su propia misión. Le dio a entender que no estaba buscando un trono terrenal.

"Mi reino no es de este mundo —dijo:— si de este mundo fuera mi reino, mis servidores pelearían para que yo no fuera entregado a los Judíos: ahora, pues, mi reino no es de aquí. Díjole entonces Pilato: ¿Luego rey eres tú? Respondió Jesús: Tú dices que yo soy rey. Yo para esto he nacido, y para esto he venido al mundo, para dar testimonio a la verdad. Todo aquel que es de la verdad, oye mi voz".

Cristo afirmó que su palabra era en sí misma una llave que abriría el misterio para aquellos que estuviesen preparados para recibirlo. Esta palabra tenía un poder que la recomendaba, y en ello estribaba el secreto de la difusión de su reino de verdad. Deseaba que Pilato comprendiese que únicamente si recibía y aceptaba la verdad podría reconstruirse su naturaleza arruinada.

Pilato deseaba conocer la verdad. Su espíritu estaba confuso. Escuchó ávidamente las palabras del Salvador, y su corazón fue conmovido por un gran anhelo de saber lo que era realmente la verdad y cómo podía obtenerla. "¿Qué cosa es verdad?" preguntó. Pero no esperó la respuesta. El tumulto del exterior le hizo recordar los intereses del momento; porque los sacerdotes estaban pidiendo con clamores una decisión inmediata. Saliendo a los judíos, declaró enfáticamente: "Yo no hallo en él ningún crimen".

Estas palabras de un juez pagano eran una mordaz represión a la perfidia y falsedad de los dirigentes de Israel que acusaban al Salvador. Al oír a Pilato decir esto, los sacerdotes y ancianos se sintieron chasqueados y se airaron sin mesura. Durante largo tiempo habían maquinado y aguardado esta oportunidad. Al vislumbrar la perspectiva de que Jesús fuese libertado, parecían dispuestos a despedazarlo. Denunciaron en alta voz a Pilato, y le amenazaron con la censura del gobierno romano. Le acusaron de negarse a condenar a Jesús, quien, afirmaban ellos, se había levantado contra César.

Se oyeron entonces voces airadas, las cuales declaraban que la influencia sediciosa de Jesús era bien conocida en todo el país. Los sacerdotes dijeron: "Alborota al pueblo, enseñando por toda Judea, comenzando desde Galilea hasta aquí".

En este momento Pilato no tenía la menor idea de condenar a Jesús. Sabía que los judíos le habían acusado por odio y prejuicio. Sabía cuál era su deber. La justicia exigía que Cristo fuese libertado inmediatamente. Pero Pilato temió la mala voluntad del pueblo. Si se negaba a entregar a Jesús en sus manos, se produciría un tumulto, y temía afrontarlo. Cuando oyó que Cristo era de Galilea, decidió enviarlo al gobernador de esa provincia, Herodes, que estaba entonces en Jerusalén. Haciendo esto, Pilato pensó traspasar a Herodes la responsabilidad del juicio. También pensó que era una buena oportunidad de acabar con una antigua rencilla entre él y Herodes. Y así resultó. Los dos magistrados se hicieron amigos con motivo del juicio del Salvador.

Pilato volvió a confiar a Jesús a los soldados, y entre burlas e insultos de la muchedumbre, fue llevado apresuradamente al tribunal de Herodes. "Y Herodes, viendo a Jesús, holgóse mucho". Nunca se había encontrado antes con el Salvador, pero "hacía mucho que deseaba verle; porque había oído de él muchas cosas, y tenía esperanza que le vería hacer alguna señal". Este Herodes era aquel cuyas manos se habían manchado con la sangre de Juan el Bautista. Cuando Herodes oyó hablar por primera vez de Jesús, quedó aterrado, y dijo: "Este es Juan el que yo degollé: él ha resucitado de los muertos;" "por eso virtudes obran en él". Sin embargo, Herodes deseaba ver a Jesús. Ahora tenía oportunidad de salvar la vida de este profeta, y el rey esperaba desterrar para siempre de su memoria el recuerdo de aquella cabeza sangrienta que le llevaran en un plato. También deseaba satisfacer su curiosidad, y pensaba que si ofrecía a Cristo una perspectiva de liberación, haría cualquier cosa que se le pidiese.

Un gran grupo de sacerdotes y ancianos había acompañado a Cristo hasta Herodes. Y cuando el Salvador fue llevado adentro, estos dignatarios, hablando todos con agitación, presentaron con instancias sus acusaciones contra él. Pero Herodes prestó poca atención a sus cargos. Les ordenó que guardasen silencio, deseoso de tener una oportunidad de interrogar a Cristo. Ordenó que le sacasen los hierros, al mismo tiempo que acusaba a sus enemigos de haberle maltratado. Mirando compasivamente al rostro sereno del Redentor del mundo, leyó en él solamente sabiduría y pureza. Tanto él como Pilato estaban convencidos de que Jesús había sido acusado por malicia y envidia. Herodes interrogó a Cristo con muchas palabras, pero durante todo ese tiempo el Salvador mantuvo un profundo silencio. A la orden del rey, se trajeron inválidos y mutilados, y se le ordenó a Cristo que probase sus asertos realizando un milagro. Los hombres dicen que puedes sanar a los enfermos, dijo Herodes. Yo deseo ver si tu muy difundida fama no ha sido exagerada. Jesús no respondió, y Herodes continuó instándole: Si puedes realizar milagros en favor de otros, hazlos ahora para tu propio bien, y saldrás beneficiado. Luego ordenó: Muéstranos una señal de que tienes el poder que te ha atribuido el rumor. Pero Cristo permanecía como quien no oyese ni viese nada. El Hijo de Dios había tomado sobre sí la naturaleza humana. Debía obrar como el hombre habría tenido que obrar en tales circunstancias. Por lo tanto, no quiso realizar un milagro para ahorrarse el dolor y la humillación que el hombre habría tenido que soportar si hubiese estado en una posición similar.

Herodes prometió a Cristo que si hacía algún milagro en su presencia, le libertaría. Los acusadores de Cristo habían visto con sus propios ojos las grandes obras realizadas por su poder. Le habían oído ordenar al sepulcro que devolviese sus muertos. Habían visto a éstos salir obedientes a su voz. Temieron que hiciese ahora un milagro. De entre todas las cosas, lo que más temían era una manifestación de su poder. Habría asestado un golpe mortal a sus planes, y tal vez les habría costado la vida. Con gran ansiedad los sacerdotes y gobernantes volvieron a insistir en sus acusaciones contra él. Alzando la voz, declararon: Es traidor y blasfemo. Realiza milagros por el poder que le ha dado Belcebú, príncipe de los demonios. La sala se transformó en una escena de confusión, pues algunos gritaban una cosa y otros otra.

La conciencia de Herodes era ahora mucho menos sensible que cuando tembló de horror al oír a Salomé pedir la cabeza de Juan el Bautista. Durante cierto tiempo, había sentido intenso remordimiento por su terrible acto; pero la vida licenciosa había ido degradando siempre más sus percepciones morales, y su corazón se había endurecido a tal punto que podía jactarse del castigo que había infligido a Juan por atreverse a reprenderle. Ahora amenazó a Jesús, declarando repetidas veces que tenía poder para librarle o condenarle. Pero Jesús no daba señal de que le hubiese oído una palabra.

Herodes se irritó por este silencio. Parecía indicar completa indiferencia a su autoridad. Para el rey vano y pomposo, la represión abierta habría sido menos ofensiva que el no tenerlo en cuenta. Volvió a amenazar airadamente a Jesús, quien permanecía sin inmutarse.

La misión de Cristo en este mundo no era satisfacer la curiosidad ociosa. Había venido para sanar a los quebrantados de corazón. Si pronunciando alguna palabra, hubiese podido sanar las heridas de las almas enfermas de pecado, no habría guardado silencio. Pero nada tenía que decir a aquellos que no querían sino pisotear la verdad bajo sus profanos pies.

Cristo podría haber dirigido a Herodes palabras que habrían atravesado los oídos del empedernido rey, y haberle llenado de temor y temblor presentándole toda la iniquidad de su vida y el horror de su suerte inminente. Pero el silencio de Cristo fue la represión más severa que pudiese darle. Herodes había rechazado la verdad que le hablara el mayor de los profetas y no iba a recibir otro mensaje. Nada tenía que decirle la Majestad del cielo. Ese oído que siempre había estado abierto para acoger el clamor de la desgracia humana era insensible a las órdenes de Herodes. Aquellos ojos que con amor compasivo y perdonador se habían fijado en el pecador penitente no tenían mirada que conceder a Herodes. Aquellos labios que habían pronunciado la verdad más impresionante, que en tonos de la más tierna súplica habían intercedido con los más pecaminosos y degradados, quedaron cerrados para el altanero rey que no sentía necesidad de un Salvador.

La pasión ensombreció el rostro de Herodes. Volviéndose hacia la multitud, denunció airadamente a Jesús como impostor. Entonces dijo a Cristo: Si no quieres dar prueba de tu aserto, te entregaré a los soldados y al pueblo. Tal vez ellos logren hacerte hablar. Si eres un impostor, la muerte en sus manos es lo único que mereces; si eres el Hijo de Dios, sálvate haciendo un milagro.

Apenas fueron pronunciadas estas palabras la turba se lanzó hacia Cristo. Como fieras se precipitaron sobre su presa. Jesús fue arrastrado de aquí para allá, y Herodes se unió al populacho en sus esfuerzos por humillar al Hijo de Dios. Si los soldados romanos no hubiesen intervenido y rechazado a la turba enfurecida, el Salvador habría sido despedazado.

"Mas Herodes con su corte le menospreció, y escarneció, vistiéndole de una ropa rica". Los soldados romanos participaron de esos ultrajes. Todo lo que estos perversos y corrompidos soldados, ayudados por Herodes y los dignatarios judíos podían instigar, fue acumulado sobre el Salvador. Sin embargo, su divina paciencia no desfalleció.

Los perseguidores de Cristo habían procurado medir su carácter por el propio; le habían representado tan vil como ellos mismos. Pero detrás de todas las apariencias del momento, se insinuó otra escena, una escena que ellos contemplarán un día en toda su gloria. Hubo algunos que temblaron en presencia de Cristo. Mientras la ruda muchedumbre se inclinaba irrisoriamente delante de él, algunos de los que se adelantaban con este propósito retrocedieron, mudos de temor. Herodes se sintió convencido. Los últimos rayos de la luz misericordiosa resplandecían sobre su corazón endurecido por el pecado. Comprendió que éste no era un hombre común; porque la Divinidad había fulgurado a través de la humanidad. En el mismo momento en que Cristo estaba rodeado de burladores, adúlteros y homicidas, Herodes sintió que estaba contemplando a un Dios sobre su trono.

Por empedernido que estuviese, Herodes no se atrevió a ratificar la condena de Cristo. Quiso descargarse de la terrible responsabilidad y mandó a Jesús de vuelta al tribunal romano.

Pilato sintió desencanto y mucho desagrado. Cuando los judíos volvieron con el prisionero, preguntó impacientemente qué querían que hiciese con él. Les recordó que ya había examinado a Jesús y no había hallado culpa en él; les dijo que le habían presentado quejas contra él, pero que no habían podido probar una sola acusación. Había enviado a Jesús a Herodes, tetrarca de Galilea y miembro de su nación judía, pero él tampoco había hallado en él cosa digna de muerte. "Le soltaré, pues, castigado," dijo Pilato.

En esto Pilato demostró su debilidad. Había declarado que Jesús era inocente; y, sin embargo, estaba dispuesto a hacerlo azotar para apaciguar a sus acusadores. Quería sacrificar la justicia y los buenos principios para transigir con la turba. Esto le colocó en situación desventajosa. La turba se valió de su indecisión y clamó tanto más por la vida del preso. Si desde el principio Pilato se hubiese mantenido firme, negándose a condenar a un hombre que consideraba inocente, habría roto la cadena fatal que iba a retenerle toda su vida en el remordimiento y la culpabilidad. Si hubiese obedecido a sus convicciones de lo recto, los judíos no habrían intentado imponerle su voluntad. Se habría dado muerte a Cristo, pero la culpabilidad no habría recaído sobre Pilato. Mas Pilato había violado poco a poco su conciencia. Había buscado pretexto para no juzgar con justicia y equidad, y ahora se hallaba casi impotente en las manos de los sacerdotes y príncipes. Su vacilación e indecisión provocaron su ruina.

Aun entonces no se le dejó actuar ciegamente. Un mensaje de Dios le amonestó acerca del acto que estaba por cometer. En respuesta a la oración de Cristo, la esposa de Pilato había sido visitada por un ángel del cielo, y en un sueño había visto al Salvador y conversado con él. La esposa de Pilato no era judía, pero mientras miraba a Jesús en su sueño no tuvo duda alguna acerca de su carácter o misión. Sabía que era el Príncipe de Dios. Le vio juzgado en el tribunal. Vio las manos estrechamente ligadas como las manos de un criminal. Vio a Herodes y sus soldados realizando su impía obra. Oyó a los sacerdotes y príncipes, llenos de envidia y malicia, acusándole furiosamente. Oyó las palabras: "Nosotros tenemos ley, y según nuestra ley debe morir". Vio a Pilato entregar a Jesús para ser azotado, después de haber declarado: "Yo no hallo en él ningún crimen". Oyó la condenación pronunciada por Pilato, y le vio entregar a Cristo a sus homicidas. Vio la cruz levantada en el Calvario. Vio la tierra envuelta en tinieblas y oyó el misterioso clamor: "Consumado es". Pero otra escena aún se ofreció a su mirada. Vio a Cristo sentado sobre la gran nube blanca, mientras toda la tierra oscilaba en el espacio y sus homicidas huían de la pre-sencia de su gloria. Con un grito de horror se despertó, y en seguida escribió a Pilato unas palabras de advertencia.

Mientras Pilato vacilaba en cuanto a lo que debía hacer, un men-sajero se abrió paso a través de la muchedumbre y le entregó la carta de su esposa que decía:

"No tengas que ver con aquel justo; porque hoy he padecido muchas cosas en sueños por causa de él". El rostro de Pilato palideció. Le confundían sus propias emociones en conflicto. Pero mientras postergaba la acción, los sacerdotes y príncipes inflamaban aun más los ánimos del pueblo. Pilato se vio forzado a obrar. Recordó entonces una costumbre que podría servir para obtener la liberación de Cristo. En ocasión de esta fiesta, se acostumbraba soltar a algún preso que el pueblo erigiese. Era una costumbre de invención pagana; no había sombra de justicia en ella, pero los judíos la apreciaban mucho. En aquel entonces las autoridades romanas tenían preso a un tal Barrabás que estaba bajo sentencia de muerte. Este hombre había aseverado ser el Mesías. Pretendía tener autoridad para establecer un orden de cosas diferente para arreglar el mundo. Dominado por el engaño satánico, sostenía que le pertenecía todo lo que pudiese obtener por el robo. Había hecho cosas maravillosas por medio de los agentes satánicos, había conquistado secuaces entre el pueblo y había provocado una sedición contra el gobierno romano. Bajo el manto del entusiasmo religioso, se ocultaba un bribón empedernido y desesperado, que sólo procuraba cometer actos de rebelión y crueldad. Al ofrecer al pueblo que eligiese entre este hombre y el Salvador inocente, Pilato pensó despertar en él un sentido de justicia. Esperaba suscitar su simpatía por Jesús en oposición a los sacerdotes y príncipes. Así que volviéndose a la muchedumbre, dijo con gran fervor: "¿Cuál queréis que os suelte? ¿a Barrabás, o a Jesús que se dice el Cristo?"

Como el rugido de las fieras, vino la respuesta de la turba: Suéltanos a Barrabás. E iba en aumento el clamor: ¡Barrabás! ¡Barrabás! Pensando que el pueblo no había comprendido su pregunta, Pilato preguntó: "¿Queréis que os suelte al Rey de los judíos?" Pero volvieron a clamar: "Quita a éste, y suéltanos a Barrabás". "¿Qué pues haré de Jesús que se dice el Cristo?" preguntó Pilato. Nuevamente la agitada turba rugió como demonios. Había verdaderos demonios en forma humana en la muchedumbre, y ¿qué podía esperarse sino la respuesta: "Sea crucificado"?

Pilato estaba turbado. No había pensado obtener tal resultado. Le repugnaba entregar un hombre inocente a la muerte más ignominiosa y cruel que se pudiese infligir. Cuando hubo cesado el tumulto de las voces, volvió a hablar al pueblo diciendo: "Pues ¿qué mal ha hecho?" Pero era demasiado tarde para argüir. No eran pruebas de la inocencia de Cristo lo que querían, sino su condena.

Pilato se esforzó todavía por salvarlo. "Les dijo la tercera vez: ¿Pues qué mal ha hecho éste? Ninguna culpa de muerte he hallado en él: le castigaré, pues, y le soltaré". Pero la sola mención de su liberación decuplicaba el frenesí del pueblo. "Crucifícale, crucifícale," clamaban. La tempestad que la indecisión de Pilato había provocado rugía cada vez más.

Jesús fue tomado, extenuado de cansancio y cubierto de heridas, y fue azotado a la vista de la muchedumbre. "Entonces los soldados le llevaron dentro de la sala, es a saber, al pretorio; y convocan toda la cohorte. Y le visten de púrpura; y poniéndole una corona tejida de espinas, comenzaron luego a saludarle: ¡Salve, Rey de los Judíos! . . . Y escupían en él, y le adoraban hincadas las rodillas". De vez en cuando, alguna mano perversa le arrebataba la caña que había sido puesta en su mano, y con ella hería la corona que estaba sobre su frente, haciendo penetrar las espinas en sus sienes y chorrear la sangre por su rostro y barba.

¡Admiraos, oh cielos! ¡y asómbrate oh tierra! Contemplad al opresor y al oprimido. Una multitud enfurecida rodea al Salvador del mundo. Las burlas y los escarnios se mezclan con los groseros juramentos de blasfemia. La muchedumbre inexorable comenta su humilde nacimiento y vida. Pone en ridículo su pretensión de ser Hijo de Dios, y la broma obscena y el escarnio insultante pasan de labio a labio.

Satanás indujo a la turba cruel a ultrajar al Salvador. Era su propósito provocarle a que usase de represalias, si era posible, o impulsarle a realizar un milagro para librarse y así destruir el plan de la salvación. Una mancha sobre su vida humana, un desfallecimiento de su humanidad para soportar la prueba terrible, y el Cordero de Dios habría sido una ofrenda imperfecta y la redención del hombre habría fracasado. Pero Aquel que con una orden podría haber hecho acudir en su auxilio a la hueste celestial, el que por la manifestación de su majestad divina podría haber ahuyentado de su vista e infundido terror a esa muchedumbre, se sometió con perfecta calma a los más groseros insultos y ultrajes.

Los enemigos de Cristo habían pedido un milagro como prueba de su divinidad. Tenían una prueba mayor que cualquiera de las que buscasen. Así como su crueldad degradaba a sus atormentadores por debajo de la humanidad a semejanza de Satanás, así también la mansedumbre y paciencia de Jesús le exaltaban por encima de la humanidad y probaban su relación con Dios. Su humillación era la garantía de su exaltación. Las cruentas gotas de sangre que de sus heridas sienes corrieron por su rostro y su barba, fueron la garantía de su ungimiento con el "óleo de alegría" como sumo sacerdote nuestro.

La ira de Satanás fue grande al ver que todos los insultos infligidos al Salvador no podían arrancar de sus labios la menor murmuración. Aunque se había revestido de la naturaleza humana, estaba sostenido por una fortaleza semejante a la de Dios y no se apartó un ápice de la voluntad de su Padre.

Cuando Pilato entregó a Jesús para que fuese azotado y burlado, pensó excitar la compasión de la muchedumbre. Esperaba que ella decidiera que este castigo bastaba. Pensó que aun la malicia de los sacerdotes estaría ahora satisfecha. Pero, con aguda percepción, los judíos vieron la debilidad que significaba el castigar así a un hombre que había sido declarado inocente. Sabían que Pilato estaba procurando salvar la vida del preso, y ellos estaban resueltos a que Jesús no fuese libertado. Para agradarnos y satisfacernos, Pilato le ha azotado, pensaron, y si insistimos en obtener una decisión, conseguiremos seguramente nuestro fin.

Pilato mandó entonces que se trajese a Barrabás al tribunal. Presentó luego los dos presos, uno al lado del otro, y señalando al Salvador dijo con voz de solemne súplica: "He aquí el hombre". "Os le traigo fuera, para que entendáis que ningún crimen hallo en él".

Allí estaba el Hijo de Dios, llevando el manto de burla y la corona de espinas. Desnudo hasta la cintura, su espalda revelaba los largos, y crueles azotes, de los cuales la sangre fluía copiosamente. Su rostro manchado de sangre llevaba las marcas del agotamiento y el dolor; pero nunca había parecido más hermoso que en ese momento. El semblante del Salvador no estaba desfigurado delante de sus enemigos. Cada rasgo expresaba bondad y resignación y la más tierna compasión por sus crueles verdugos. Su porte no expresaba debilidad cobarde, sino la fuerza y dignidad de la longanimidad. En sorprendente contraste, se destacaba el preso que estaba a su lado. Cada rasgo del semblante de Barrabás le proclamaba como el empedernido rufián que era. El contraste hablaba a toda persona que lo contemplaba. Algunos de los espectadores lloraban. Al mirar a Jesús, sus corazones se llenaron de simpatía. Aun los sacerdotes y príncipes estaban convencidos de que era todo lo que aseveraba ser. Los soldados romanos que rodeaban a Cristo no eran todos endurecidos. Algunos miraban insistentemente su rostro en busca de una prueba de que era un personaje criminal o peligroso. De vez en cuando, arrojaban una mirada de desprecio a Barrabás. No se necesitaba profunda percepción para discernir cabalmente lo que era. Luego volvían a mirar a Aquel a quien se juzgaba. Miraban al divino doliente con sentimientos de profunda compasión. La callada sumisión de Cristo grabó en su mente esa escena, que nunca se iba a borrar de ella hasta que le reconocieran como Cristo, o rechazándole decidieran su propio destino.

La paciencia del Salvador, que no exhalaba una queja, llenó a Pilato de asombro. No dudaba de que la vista de este hombre, en contraste con Barrabás, habría de mover a simpatía a los judíos. Pero no comprendía el odio fanático que sentían los sacerdotes hacia Aquel que, como luz del mundo, había hecho manifiestas sus tinieblas y error. Habían incitado a la turba a una furia loca, y nuevamente los sacerdotes, los príncipes y el pueblo elevaron aquel terrible clamor: "¡Crucifícale! ¡Crucifícale!" Por fin, perdiendo toda paciencia con su crueldad irracional, Pilato exclamó desesperado: "Tomadle vosotros, y crucificadle; porque yo no hallo en él crimen".

El gobernador romano, aunque familiarizado con escenas de crueldad, se sentía movido de simpatía hacia el preso doliente que, condenado y azotado, con la frente ensangrentada y la espalda lacerada, seguía teniendo el porte de un rey sobre su trono. Pero los sacerdotes declararon: "Nosotros tenemos ley, y según nuestra ley debe morir, porque se hizo Hijo de Dios".

Pilato se sorprendió. No tenía idea correcta de Cristo y de su misión; pero tenía una fe vaga en Dios y en los seres superiores a la humanidad. El pensamiento que una vez antes cruzara por su mente cobró ahora una forma más definida. Se preguntó si no sería un ser divino el que estaba delante de él cubierto con el burlesco manto purpúreo y coronado de espinas.

Volvió al tribunal y dijo a Jesús: "¿De dónde eres tú?" Pero Jesús no le respondió. El Salvador había hablado abiertamente a Pilato explicándole su misión como testigo de la verdad. Pilato había despreciado la luz. Había abusado del alto cargo de juez renunciando a sus principios y autoridad bajo las exigencias de la turba. Jesús no tenía ya más luz para él. Vejado por su silencio, Pilato dijo altaneramente: "¿A mí no me hablas? ¿no sabes que tengo potestad para crucificarte, y que tengo potestad para soltarte?"

Jesús respondió: "Ninguna potestad tendrías contra mí, si no te fuese dado de arriba: por tanto, el que a ti me ha entregado, mayor pecado tiene".

Así, el Salvador compasivo, en medio de sus intensos sufrimientos y pesar, disculpó en cuanto le fue posible el acto del gobernador romano que le entregaba para ser crucificado. ¡Qué escena digna de ser transmitida al mundo para todos los tiempos! ¡Cuánta luz derrama sobre el carácter de Aquel que es el juez de toda la tierra!

"El que a ti me ha entregado —dijo Jesús,— mayor pecado tiene". Con estas palabras, Cristo indicaba a Caifás, quien, como sumo sacerdote, representaba a la nación judía. Ellos conocían los principios que regían a las autoridades romanas. Habían tenido luz en las profecías que testificaban de Cristo y en sus propias enseñanzas y milagros. Los jueces judíos habían recibido pruebas inequívocas de la divinidad de Aquel a quien condenaban a muerte. Y según la luz que habían recibido, serían juzgados.

La mayor culpabilidad y la responsabilidad más pesada incumbían a aquellos que estaban en los lugares más encumbrados de la nación, los depositarios de aquellos sagrados cometidos vilmente traicionados. Pilato, Herodes y los soldados romanos eran comparativamente ignorantes acerca de Jesús. Insultándole trataban de agradar a los sacerdotes y príncipes. No tenían la luz que la nación judía había recibido en tanta abundancia. Si la luz hubiese sido dada a los soldados, no habrían tratado a Cristo tan cruelmente como lo hicieron.

Pilato volvió a proponer la liberación del Salvador. "Mas los Judíos daban voces, diciendo: Si a éste sueltas, no eres amigo de César". Así pretendían estos hipócritas ser celosos por la autoridad de César. De entre todos los que se oponían al gobierno romano, los judíos eran los más encarnizados. Cuando no había peligro en ello, eran los más tiránicos en imponer sus propias exigencias nacionales y religiosas; pero cuando deseaban realizar algún propósito cruel exaltaban el poder de César. A fin de lograr la destrucción de Cristo, profesaban ser leales al gobierno extranjero que odiaban.

"Cualquiera que se hace rey —continuaron,— a César contradice". Esto tocaba a Pilato en un punto débil. Era sospechoso para el gobierno romano y sabía que un informe tal le arruinaría. Sabía que si estorbaba a los judíos, volverían su ira contra él. Nada descuidarían para lograr su venganza. Tenía delante de sí un ejemplo de la persistencia con que buscaban la vida de Uno a quien odiaban sin razón.

Pilato tomó entonces su lugar en el sitial del tribunal, y volvió a presentar a Jesús al pueblo diciendo: "He aquí vuestro Rey". Volvió a oírse el furioso clamor: "Quita, quita crucifícale". Con voz que fue oída lejos y cerca, Pilato preguntó: "¿A vuestro Rey he de crucificar?" Pero labios profanos y blasfemos pronunciaron las palabras: "No tenemos rey sino a César".

Al escoger así a un gobernante pagano, la nación judía se retiraba de la teocracia. Rechazaba a Dios como su Rey. De ahí en adelante no tendría libertador. No tendría otro rey sino a César. A esto habían conducido al pueblo los sacerdotes y maestros. Eran responsables de esto y de los temibles resultados que siguieron. El pecado de una nación y su ruina se debieron a sus dirigentes religiosos.

"Y viendo Pilato que nada adelantaba, antes se hacía más alboroto, tomando agua se lavó las manos delante del pueblo, diciendo: Inocente soy yo de la sangre de este justo: veréislo vosotros". Con temor y condenándose a sí mismo, Pilato miró al Salvador. En el vasto mar de rostros vueltos hacia arriba, el suyo era el único apacible. En derredor de su cabeza parecía resplandecer una suave luz. Pilato dijo en su corazón: Es un Dios. Volviéndose a la multitud, declaró: Limpio estoy de su sangre, tomadle y crucificadle. Pero notad, sacerdotes y príncipes, que yo lo declaro justo. Y Aquel a quien él llama su Padre os juzgue a vosotros y no a mí por la obra de este día. Luego dijo a Jesús: Perdóname por este acto; no puedo salvarte. Y cuando le hubo hecho azotar otra vez, le entregó para ser crucificado.

Pilato anhelaba librar a Jesús. Pero vio que no podría hacerlo y conservar su puesto y sus honores. Antes que perder su poder mundanal, prefirió sacrificar una vida inocente. ¡Cuántos, para escapar a la pérdida o al sufrimiento, sacrifican igualmente los buenos principios! La conciencia y el deber señalan un camino, y el interés propio señala otro. La corriente arrastra fuertemente en la mala dirección, y el que transige con el mal es precipitado a las densas tinieblas de la culpabilidad.

Pilato cedió a las exigencias de la turba. Antes que arriesgarse a perder su puesto entregó a Jesús para que fuese crucificado, pero a pesar de sus precauciones aquello mismo que temía le aconteció después. Fue despojado de sus honores, fue derribado de su alto cargo y, atormentado por el remordimiento y el orgullo herido, poco después de la crucifixión se quitó la vida. Asimismo, todos los que transigen con el pecado no tendrán sino pesar y ruina. "Hay camino que al hombre parece derecho; empero su fin son caminos de muerte".

Cuando Pilato se declaró inocente de la sangre de Cristo, Caifás contestó desafiante: "Su sangre sea sobre nosotros, y sobre nuestros hijos". Estas terribles palabras fueron repetidas por los sacerdotes y gobernantes, y luego por la muchedumbre en un inhumano rugir de voces. Toda la multitud contestó y dijo: "Su sangre sea sobre nosotros, y sobre nuestros hijos".

El pueblo de Israel había hecho su elección. Señalando a Jesús, habían dicho: "Quita a éste, y suéltanos a Barrabás". Barrabás, el ladrón y homicida, era representante de Satanás. Cristo era el representante de Dios. Cristo había sido rechazado; Barrabás había sido elegido. Iban a tener a Barrabás. Al hacer su elección, aceptaban al que desde el principio es mentiroso y homicida. Satanás era su dirigente. Como nación, iban a cumplir sus dictados. Iban a hacer sus obras. Tendrían que soportar su gobierno. El pueblo que eligió a Barrabás en lugar de Cristo iba a sentir la crueldad de Barrabás mientras durase el tiempo.

Mirando al herido Cordero de Dios, los judíos habían clamado: "Su sangre sea sobre nosotros, y sobre nuestros hijos". Este espantoso clamor ascendió al trono de Dios. Esa sentencia, que pronunciaron sobre sí mismos, fue escrita en el cielo. Esa oración fue oída. La sangre del Hijo de Dios fue como una maldición perpetua sobre sus hijos y los hijos de sus hijos.

Esto se cumplió en forma espantosa en la destrucción de Jerusalén y durante dieciocho siglos en la condición de la nación judía que fue como un sarmiento cortado de la vid, una rama muerta y estéril, destinada a ser juntada y quemada. ¡De país a país a través del mundo, de siglo a siglo, muertos, muertos en delitos y pecados!

Terriblemente se habrá de cumplir esta oración en el gran día del juicio. Cuando Cristo vuelva a la tierra, los hombres no le verán como preso rodeado por una turba. Le verán como Rey del cielo. Cristo volverá en su gloria, en la gloria de su Padre y en la gloria de los santos ángeles. Miríadas y miríadas, y miles de miles de ángeles, hermosos y triunfantes hijos de Dios que poseen una belleza y gloria superiores a todo lo que conocemos, le escoltarán en su regreso. Entonces se sentará sobre el trono de su gloria y delante de él se congregarán todas las naciones. Entonces todo ojo le verá y también los que le traspasaron. En lugar de una corona de espinas, llevará una corona de gloria, una corona dentro de otra corona. En lugar de aquel viejo manto de grana, llevará un vestido del blanco más puro, "tanto que ningún lavador en la tierra los puede hacer tan blancos". Y en su vestidura y en su muslo estará escrito un nombre: "Rey de reyes y Señor de señores". Los que le escarnecieron e hirieron estarán allí. Los sacerdotes y príncipes contemplarán de nuevo la escena del pretorio. Cada circunstancia se les presentará como escrita en letras de fuego. Entonces los que pidieron: "Su sangre sea sobre nosotros, y sobre nuestros hijos," recibirán la respuesta a su oración. Entonces el mundo entero conocerá y entenderá. Los pobres, débiles y finitos seres humanos comprenderán contra quién y contra qué estuvieron guerreando. Con terrible agonía y horror, clamarán a las montañas y a las rocas: "Caed sobre nosotros, y escondednos de la cara de Aquel que está sentado sobre el trono, y de la ira del Cordero: porque el gran día de su ira es venido; ¿y quién podrá estar firme?"

5

EL CALVARIO

Y como vinieron al lugar que se llama de la Calavera, le crucificaron allí. "Para santificar al pueblo por su propia sangre," Cristo "padeció fuera de la puerta". Por la transgresión de la ley de Dios, Adán y Eva fueron desterrados del Edén. Cristo, nuestro substituto, iba a sufrir fuera de los límites de Jerusalén. Murió fuera de la puerta, donde eran ejecutados los criminales y homicidas. Rebosan de significado las palabras: "Cristo nos redimió de la maldición de la ley, hecho por nosotros maldición".

Una vasta multitud siguió a Jesús desde el pretorio hasta el Calvario. Las nuevas de su condena se habían difundido por toda Jerusalén, y acudieron al lugar de su ejecución personas de todas clases y jerarquías. Los sacerdotes y príncipes se habían comprometido a no molestar a los seguidores de Cristo si él les era entregado, así que los discípulos y creyentes de la ciudad y región circundante pudieron unirse a la muchedumbre que seguía al Salvador.

Al cruzar Jesús la puerta del atrio del tribunal de Pilato, la cruz que había sido preparada para Barrabás fue puesta sobre sus hombros magullados y ensangrentados. Dos compañeros de Barrabás iban a sufrir la muerte al mismo tiempo que Jesús, y se pusieron también cruces sobre ellos. La carga del Salvador era demasiado pesada para él en su condición débil y doliente. Desde la cena de Pascua que tomara con sus discípulos, no había ingerido alimento ni bebida. En el huerto de Getsemaní había agonizado en conflicto con los agentes satánicos. Había soportado la angustia de la entrega, y había visto a sus discípulos abandonarle y huir. Había sido llevado a Annás, luego a Caifás y después a Pilato. De Pilato había sido enviado a Herodes, luego de nuevo a Pilato. Las injurias habían sucedido a las injurias, los escarnios a los escarnios; Jesús había sido flagelado dos veces, y toda esa noche se había producido una escena tras otra de un carácter capaz de probar hasta lo sumo a un alma humana. Cristo no había desfallecido. No había pronunciado palabra que no tendiese a glorificar a Dios. Durante toda la deshonrosa farsa del proceso, se había portado con firmeza y dignidad. Pero cuando, después de la segunda flagelación, la cruz fue puesta sobre él, la naturaleza humana no pudo soportar más y Jesús cayó desmayado bajo la carga.

La muchedumbre que seguía al Salvador vio sus pasos débiles y tambaleantes, pero no manifestó compasión. Se burló de él y le vilipendió porque no podía llevar la pesada cruz. Volvieron a poner sobre él la carga, y otra vez cayó desfalleciente al suelo. Sus perseguidores vieron que le era imposible llevarla más lejos. No sabían dónde encontrar quien quisiese llevar la humillante carga. Los judíos mismos no podían hacerlo, porque la contaminación les habría impedido observar la Pascua. Entre la turba que le seguía no había una sola persona que quisiese rebajarse a llevar la cruz.

En ese momento, un forastero, Simón cireneo, que volvía del campo, se encontró con la muchedumbre. Oyó las burlas y palabras soeces de la turba; oyó las palabras repetidas con desprecio: Abrid paso para el Rey de los judíos. Se detuvo asombrado ante la escena; y como expresara su compasión, se apoderaron de él y colocaron la cruz sobre sus hombros.

Simón había oído hablar de Jesús. Sus hijos creían en el Salvador, pero él no era discípulo. Resultó una bendición para él llevar la cruz al Calvario y desde entonces estuvo siempre agradecido por esta providencia. Ella le indujo a tomar sobre sí la cruz de Cristo por su propia voluntad y a estar siempre alegremente bajo su carga. Había no pocas mujeres entre la multitud que seguía al Inocente a su muerte cruel. Su atención estaba fija en Jesús. Algunas de ellas le habían visto antes. Algunas le habían llevado sus enfermos y dolientes. Otras habían sido sanadas. Al oír el relato de las escenas que acababan de acontecer, se asombraron por el odio de la muchedumbre hacia Aquel por quien su propio corazón se enternecía y estaba por quebrantarse. Y a pesar de la acción de la turba enfurecida y de las palabras airadas de sacerdotes y príncipes, esas mujeres expresaron su simpatía. Al caer Jesús desfallecido bajo la cruz, prorrumpieron en llanto lastimero.

Esto fue lo único que atrajo la atención de Cristo. Aunque abrumado por el sufrimiento mientras llevaba los pecados del mundo, no era indiferente a la expresión de pesar. Miró a esas mujeres con tierna compasión. No eran creyentes en él; sabía que no le compadecían como enviado de Dios, sino que eran movidas por sentimientos de compasión humana. No despreció su simpatía, sino que ésta despertó en su corazón una simpatía más profunda por ellas. "Hijas de Jerusalem —dijo,— no me lloréis a mí, mas llorad por vosotras mismas, y por vuestros hijos".

De la escena que presenciaba, Cristo miró hacia adelante al tiempo de la destrucción de Jerusalén. En ese terrible acontecimiento, muchas de las que lloraban ahora por él iban a perecer con sus hijos. De la caída de Jerusalén, los pensamientos de Jesús pasaron a un juicio más amplio. En la destrucción de la ciudad impenitente, vio un símbolo de la destrucción final que caerá sobre el mundo. Dijo: "Entonces comenzarán a decir a los montes: Caed sobre nosotros; y a los collados: Cubridnos. Porque si en el árbol verde hacen estas cosas, ¿en el seco, qué se hará?" Por el árbol verde, Jesús se representó a sí mismo, el Redentor inocente. Dios permitió que su ira contra la transgresión cayese sobre su Hijo amado. Jesús iba a ser crucificado por los pecados de los hombres. ¿Qué sufrimiento iba entonces a soportar el pecador que continuase en el pecado? Todos los impenitentes e incrédulos iban a conocer un pesar y una desgracia que el lenguaje no podría expresar.

Entre la multitud que siguió al Salvador hasta el Calvario, había muchos que le habían acompañado con gozosos hosannas y agitando palmas, mientras entraba triunfantemente en Jerusalén. Pero no pocos de aquellos que habían gritado sus alabanzas porque era una acción popular, participaban en clamar: "Crucifícale, crucifícale". Cuando Cristo entró en Jerusalén, las esperanzas de los discípulos habían llegado a su apogeo. Se habían agolpado en derredor de su Maestro, sintiendo que era un alto honor estar relacionados con él. Ahora, en su humillación, le seguían de lejos. Estaban llenos de pesar y agobiados por las esperanzas frustradas. Ahora se verificaban las palabras de Jesús: "Todos vosotros seréis escandalizados en mí esta noche; porque escrito está: Heriré al Pastor, y las ovejas de la manada serán dispersas".

Al llegar al lugar de la ejecución, los presos fueron atados a los instrumentos de tortura. Los dos ladrones se debatieron en las manos de aquellos que los ponían sobre la cruz; pero Jesús no ofreció resistencia. La madre de Jesús, sostenida por el amado discípulo Juan, había seguido las pisadas de su Hijo hasta el Calvario. Le había visto desmayar bajo la carga de la cruz, y había anhelado sostener con su mano la cabeza herida y bañar la frente que una vez se reclinara en su seno. Pero se le había negado este triste privilegio. Juntamente con los discípulos, acariciaba todavía la esperanza de que Jesús manifestara su poder y se librara de sus enemigos. Pero su corazón volvió a desfallecer al recordar las palabras con que Jesús había predicho las mismas escenas que estaban ocurriendo. Mientras ataban a los ladrones a la cruz, miró suspensa en agonía. ¿Dejaría que se le crucificase Aquel que había dado vida a los muertos? ¿Se sometería el Hijo de Dios a esta muerte cruel? ¿Debería ella renunciar a su fe de que Jesús era el Mesías? ¿Tendría ella que presenciar su oprobio y pesar sin tener siquiera el privilegio de servirle en su angustia? Vio sus manos extendidas sobre la cruz; se trajeron el martillo y los clavos, y mientras éstos se hundían a través de la tierna carne, los afligidos discípulos apartaron de la cruel escena el cuerpo desfalleciente de la madre de Jesús.

El Salvador no dejó oír un murmullo de queja. Su rostro permaneció sereno. Pero había grandes gotas de sudor sobre su frente. No hubo mano compasiva que enjugase el rocío de muerte de su rostro, ni se oyeron palabras de simpatía y fidelidad inquebrantable que sostuviesen su corazón humano. Mientras los soldados estaban realizando su terrible obra, Jesús oraba por sus enemigos: "Padre, perdónalos, porque no saben lo que hacen". Su espíritu se apartó de sus propios sufrimientos para pensar en el pecado de sus perseguidores, y en la terrible retribución que les tocaría. No invocó maldición alguna sobre los soldados que le maltrataban tan rudamente. No invocó venganza alguna sobre los sacerdotes y príncipes que se regocijaban por haber logrado su propósito. Cristo se compadeció de ellos en su ignorancia y culpa. Sólo exhaló una súplica para que fuesen perdonados, "porque no saben lo que hacen".

Si hubiesen sabido que estaban torturando a Aquel que había venido para salvar a la raza pecaminosa de la ruina eterna, el remordimiento y el horror se habrían apoderado de ellos. Pero su ignorancia no suprimió su culpabilidad, porque habían tenido el privilegio de conocer y aceptar a Jesús como su Salvador. Algunos iban a ver todavía su pecado, arrepentirse y convertirse. Otros, por su impenitencia, iban a hacer imposible que fuese contestada la oración de Cristo en su favor. Pero asimismo se cumplía el propósito de Dios. Jesús estaba adquiriendo el derecho a ser abogado de los hombres en la presencia del Padre.

Esa oración de Cristo por sus enemigos abarcaba al mundo. Abarcaba a todo pecador que hubiera vivido desde el principio del mundo o fuese a vivir hasta el fin del tiempo. Sobre todos recae la culpabilidad de la crucifixión del Hijo de Dios. A todos se ofrece libremente el perdón. "El que quiere" puede tener paz con Dios y heredar la vida eterna.

Tan pronto como Jesús estuvo clavado en la cruz, ésta fue levantada por hombres fuertes y plantada con gran violencia en el hoyo preparado para ella. Esto causó los más atroces dolores al Hijo de Dios. Pilato escribió entonces una inscripción en hebreo, griego y latín y la colocó sobre la cruz, más arriba que la cabeza de Jesús. Decía: "Jesús Nazareno, Rey de los Judíos". Esta inscripción irritaba a los judíos. En el tribunal de Pilato habían clamado: "Crucifícale". "No tenemos rey sino a César". Habían declarado que quien reconociese a otro rey era traidor. Pilato escribió el sentimiento que habían expresado. No se mencionaba delito alguno, excepto que Jesús era Rey de los judíos. La inscripción era un reconocimiento virtual de la fidelidad de los judíos al poder romano. Declaraba que cualquiera que aseverase ser Rey de Israel, era considerado por ellos como digno de muerte. Los sacerdotes se habían excedido. Cuando maquinaban la muerte de Cristo, Caifás había declarado conveniente que un hombre muriese para salvar la nación. Ahora su hipocresía quedó revelada. A fin de destruir a Cristo, habían estado dispuestos a sacrificar hasta su existencia nacional.

Los sacerdotes vieron lo que habían hecho, y pidieron a Pilato que cambiase la inscripción. Dijeron: "No escribas, Rey de los judíos: sino, que él dijo: Rey soy de los Judíos". Pero Pilato estaba airado consigo mismo por su debilidad anterior y despreciaba cabalmente a los celosos y arteros sacerdotes y príncipes. Respondió fríamente: "Lo que he escrito, he escrito".

Un poder superior a Pilato y a los judíos había dirigido la colocación de esa inscripción sobre la cabeza de Jesús. Era la providencia de Dios, tenía que incitar a reflexionar e investigar las Escrituras. El lugar donde Cristo fue crucificado se hallaba cerca de la ciudad. Miles de personas de todos los países estaban entonces en Jerusalén, y la inscripción que declaraba Mesías a Jesús de Nazaret iba a llegar a su conocimiento. Era una verdad viva transcrita por una mano que Dios había guiado.

En los sufrimientos de Cristo en la cruz, se cumplía la profecía. Siglos antes de la crucifixión, el Salvador había predicho el trato que iba a recibir. Dijo: "Porque perros me han rodeado, hame cercado cuadrilla de malignos: horadaron mis manos y mis pies. Contar puedo todos mis huesos; ellos miran, considéranme. Partieron entre sí mis vestidos, y sobre mi ropa echaron suertes". La profecía concerniente a sus vestiduras fue cumplida sin consejo ni intervención de los amigos o los enemigos del Crucificado. Su ropa había sido dada a los soldados que le habían puesto en la cruz. Cristo oyó las disputas de los hombres mientras se repartían las ropas entre sí. Su túnica era tejida sin costura y dijeron: "No la partamos, sino echemos suertes sobre ella, de quién será".

En otra profecía, el Salvador declaró: "La afrenta ha quebrantado mi corazón, y estoy acongojado: y esperé quien se compadeciese de mí, y no lo hubo: y consoladores, y ninguno hallé. Pusiéronme además hiel por comida, y en mi sed me dieron a beber vinagre". Era permitido dar a los que sufrían la muerte de cruz una poción estupefaciente que amortiguase la sensación del dolor. Esta poción fue ofrecida a Jesús; pero al probarla, la rehusó. No quería recibir algo que turbase su inteligencia. Su fe debía aferrarse a Dios. Era su única fuerza. Enturbiar sus sentidos sería dar una ventaja a Satanás.

Los enemigos de Jesús desahogaron su ira sobre él mientras pendía de la cruz. Sacerdotes, príncipes y escribas se unieron a la muchedumbre para burlarse del Salvador moribundo. En ocasión del bautismo y de la transfiguración, se había oído la voz de Dios proclamar a Cristo como su Hijo. Nuevamente, precisamente antes de la entrega de Cristo, el Padre había hablado y atestiguado su divinidad. Pero ahora la voz del cielo callaba. Ningún testimonio se oía en favor de Cristo. Solo, sufría los ultrajes y las burlas de los hombres perversos.

"Si eres Hijo de Dios —decían,— desciende de la cruz". "Sálvese a sí, si éste es el Mesías, el escogido de Dios". En el desierto de la tentación, Satanás había declarado: "Si eres Hijo de Dios, di que estas piedras se hagan pan". "Si eres Hijo de Dios, échate abajo" desde el pináculo del templo. Y Satanás, con ángeles suyos en forma humana, estaba presente al lado de la cruz. El gran enemigo y sus huestes cooperaban con los sacerdotes y príncipes. Los maestros del pueblo habían incitado a la turba ignorante a pronunciar juicio contra Uno a quien muchos no habían mirado hasta que se les instó a que diesen testimonio contra él. Los sacerdotes, los príncipes, los fariseos y el populacho empedernido estaban confederados en un frenesí satánico. Los dirigentes religiosos se habían unido con Satanás y sus ángeles. Estaban cumpliendo sus órdenes.

Jesús, sufriendo y moribundo, oía cada palabra mientras los sacerdotes declaraban: "A otros salvó, a sí mismo no se puede salvar. El Cristo, Rey de Israel, descienda ahora de la cruz, para que veamos y creamos". Cristo podría haber descendido de la cruz. Pero por el hecho de que no quiso salvarse a sí mismo tiene el pecador esperanza de perdón y favor con Dios.

Mientras se burlaban del Salvador, los hombres que profesaban ser expositores de la profecía repetían las mismas palabras que la Inspiración había predicho que pronunciarían en esta ocasión. Sin embargo, en su ceguera, no vieron que estaban cumpliendo la profecía. Los que con irrisión dijeron: "Confió en Dios: líbrele ahora si le quiere: porque ha dicho: Soy Hijo de Dios," no pensaron que su testimonio repercutiría a través de los siglos. Pero aunque fueron dichas en son de burla, estas palabras indujeron a los hombres a escudriñar las Escrituras como nunca lo habían hecho antes. Hombres sabios oyeron, escudriñaron, reflexionaron y oraron. Hubo quienes no descansaron hasta que, por la comparación de un pasaje de la Escritura con otro, vieron el significado de la misión de Cristo. Nunca antes hubo un conocimiento tan general de Jesús como una vez que fue colgado de la cruz. En el corazón de muchos de aquellos que presenciaron la crucifixión y oyeron las palabras de Cristo resplandeció la luz de la verdad.

Durante su agonía sobre la cruz, llegó a Jesús un rayo de consuelo. Fue la petición del ladrón arrepentido. Los dos hombres crucificados con Jesús se habían burlado de él al principio; y por efecto del padecimiento uno de ellos se volvió más desesperado y desafiante. Pero no sucedió así con su compañero. Este hombre no era un criminal empedernido. Había sido extraviado por las malas compañías, pero era menos culpable que muchos de aquellos que estaban al lado de la cruz vilipendiando al Salvador. Había visto y oído a Jesús y se había convencido por su enseñanza, pero había sido desviado de él por los sacerdotes y príncipes. Procurando ahogar su convicción, se había hundido más y más en el pecado, hasta que fue arrestado, juzgado como criminal y condenado a morir en la cruz. En el tribunal y en el camino al Calvario, había estado en compañía de Jesús. Había oído a Pilato declarar: "Ningún crimen hallo en él". Había notado su porte divino y el espíritu compasivo de perdón que manifestaba hacia quienes le atormentaban. En la cruz, vio a los muchos que hacían gran profesión de religión sacarle la lengua con escarnio y ridiculizar al Señor Jesús. Vio las cabezas que se sacudían, oyó cómo su compañero de culpabilidad repetía las palabras de reproche: "Si tú eres el Cristo, sálvate a ti mismo y a nosotros". Entre los que pasaban, oía a muchos que defendían a Jesús. Les oía repetir sus palabras y hablar de sus obras. Penetró de nuevo en su corazón la convicción de que era el Cristo. Volviéndose hacia su compañero culpable, dijo: "¿Ni aun tú temes a Dios, estando en la misma condenación?" Los ladrones moribundos no tenían ya nada que temer de los hombres. Pero uno de ellos sentía la convicción de que había un Dios a quien temer, un futuro que debía hacerle temblar. Y ahora, así como se hallaba, todo manchado por el pecado, se veía a punto de terminar la historia de su vida. "Y nosotros, a la verdad, justamente padecemos —gimió,— porque recibimos lo que merecieron nuestros hechos: mas éste ningún mal hizo". Nada ponía ya en tela de juicio. No expresaba dudas ni reproches. Al ser condenado por su crimen, el ladrón se había llenado de desesperación; pero ahora brotaban en su mente pensamientos extraños, impregnados de ternura. Recordaba todo lo que había oído decir acerca de Jesús, cómo había sanado a los enfermos y perdonado el pecado. Había oído las palabras de los que creían en Jesús y le seguían llorando. Había visto y leído el título puesto sobre la cabeza del Salvador. Había oído a los transeúntes repetirlo, algunos con labios temblorosos y afligidos, otros con escarnio y burla. El Espíritu Santo iluminó su mente y poco a poco se fue eslabonando la cadena de la evidencia. En Jesús, magullado, escarnecido y colgado de la cruz, vio al Cordero de Dios, que quita el pecado del mundo. La esperanza se mezcló con la angustia en su voz, mientras que su alma desamparada se aferraba de un Salvador moribundo. "Señor, acuérdate de mí —exclamó,— cuando vinieres en tu reino".

Prestamente llegó la respuesta. El tono era suave y melodioso, y las palabras, llenas de amor, compasión y poder: De cierto te digo hoy: estarás conmigo en el paraíso.

Durante largas horas de agonía, el vilipendio y el escarnio habían herido los oídos de Jesús. Mientras pendía de la cruz, subía hacia él el ruido de las burlas y maldiciones. Con corazón anhelante, había escuchado para oír alguna expresión de fe de parte de sus discípulos. Había oído solamente las tristes palabras: "Esperábamos que él era el que había de redimir a Israel". ¡Cuánto agradecimiento sintió entonces el Salvador por la expresión de fe y amor que oyó del ladrón moribundo! Mientras los dirigentes judíos le negaban y hasta sus discípulos dudaban de su divinidad, el pobre ladrón, en el umbral de la eternidad, llamó a Jesús, Señor. Muchos estaban dispuestos a llamarle Señor cuando realizaba milagros y después que hubo resucitado de la tumba; pero mientras pendía moribundo de la cruz, nadie le reconoció sino el ladrón arrepentido que se salvó a la undécima hora. Los que estaban cerca de allí oyeron las palabras del ladrón cuando llamaba a Jesús, Señor. El tono del hombre arrepentido llamó su atención. Los que, al pie de la cruz, habían estado disputándose la ropa de Cristo y echando suertes sobre su túnica, se detuvieron a escuchar. Callaron las voces airadas. Con el aliento en suspenso, miraron a Cristo y esperaron la respuesta de aquellos labios moribundos.

Mientras pronunciaba las palabras de promesa, la obscura nube que parecía rodear la cruz fue atravesada por una luz viva y brillante. El ladrón arrepentido sintió la perfecta paz de la aceptación por Dios. En su humillación, Cristo fue glorificado. El que ante otros ojos parecía vencido, era el Vencedor. Fue reconocido como Expiador del pecado. Los hombres pueden ejercer poder sobre su cuerpo humano. Pueden herir sus santas sienes con la corona de espinas. Pueden despojarle de su vestidura y disputársela en el reparto. Pero no pueden quitarle su poder de perdonar pecados. Al morir, da testimonio de su propia divinidad, para la gloria del Padre. Su oído no se ha agravado al punto de no poder oír ni se ha acortado su brazo para no poder salvar. Es su derecho real salvar hasta lo sumo a todos los que por él se allegan a Dios.

De cierto te digo hoy: estarás conmigo en el paraíso. Cristo no prometió que el ladrón estaría en el paraíso ese día. El mismo no fue ese día al paraíso. Durmió en la tumba, y en la mañana de la resurrección dijo: "Aun no he subido a mi Padre". Pero en el día de la crucifixión, el día de la derrota y tinieblas aparentes, formuló la promesa. "Hoy;" mientras moría en la cruz como malhechor, Cristo aseguró al pobre pecador: "Estarás conmigo en el paraíso".

Los ladrones crucificados con Jesús estaban "uno a cada lado, y Jesús en medio". Así se había dispuesto por indicación de los sacerdotes y príncipes. La posición de Cristo entre los ladrones debía indicar que era el mayor criminal de los tres. Así se cumplía el pasaje: "Fue contado con los perversos". Pero los sacerdotes no podían ver el pleno significado de su acto. Como Jesús crucificado con los ladrones fue puesto "en medio," así su cruz fue puesta en medio de un mundo que yacía en el pecado. Y las palabras de perdón dirigidas al ladrón arrepentido encendieron una luz que brillará hasta los más remotos confines de la tierra.

Con asombro, los ángeles contemplaron el amor infinito de Jesús, quien, sufriendo la más intensa agonía mental y corporal, pensó solamente en los demás y animó al alma penitente a creer. En su humillación, se había dirigido como profeta a las hijas de Jerusalén; como sacerdote y abogado, había intercedido con el Padre para que perdonase a sus homicidas; como Salvador amante, había perdonado los pecados del ladrón arrepentido.

Mientras la mirada de Jesús recorría la multitud que le rodeaba, una figura llamó su atención. Al pie de la cruz estaba su madre, sostenida por el discípulo Juan. Ella no podía permanecer lejos de su Hijo; y Juan, sabiendo que el fin se acercaba, la había traído de nuevo al lado de la cruz. En el momento de morir, Cristo recordó a su madre. Mirando su rostro pesaroso y luego a Juan, le dijo: "Mujer, he ahí tu hijo," y luego a Juan: "He ahí tu madre". Juan comprendió las palabras de Cristo y aceptó el cometido. Llevó a María a su casa, y desde esa hora la cuidó tiernamente. ¡Oh Salvador compasivo y amante! ¡En medio de todo su dolor físico y su angustia mental, tuvo un cuidado reflexivo para su madre! No tenía dinero con que proveer a su comodidad, pero estaba él entronizado en el corazón de Juan y le dio su madre como legado precioso. Así le proveyó lo que más necesitaba: la tierna simpatía de quien la amaba porque ella amaba a Jesús. Y al recibirla como un sagrado cometido, Juan recibía una gran bendición. Le recordaba constantemente a su amado Maestro.

El perfecto ejemplo de amor filial de Cristo resplandece con brillo siempre vivo a través de la neblina de los siglos. Durante casi treinta años Jesús había ayudado con su trabajo diario a llevar las cargas del hogar. Y ahora, aun en su última agonía, se acordó de proveer para su madre viuda y afligida. El mismo espíritu se verá en todo discípulo de nuestro Señor. Los que siguen a Cristo sentirán que es parte de su religión respetar a sus padres y cuidar de ellos. Los padres y las madres nunca dejarán de recibir cuidado reflexivo y tierna simpatía de parte del corazón donde se alberga el amor de Cristo.

El Señor de gloria estaba muriendo en rescate por la familia humana. Al entregar su preciosa vida, Cristo no fue sostenido por un gozo triunfante. Todo era lobreguez opresiva. No era el temor de la muerte lo que le agobiaba. No era el dolor ni la ignominia de la cruz lo que le causaba agonía inefable. Cristo era el príncipe de los dolientes. Pero su sufrimiento provenía del sentimiento de la malignidad del pecado, del conocimiento de que por la familiaridad con el mal, el hombre se había vuelto ciego a su enormidad. Cristo vio cuán terrible es el dominio del pecado sobre el corazón humano, y cuán pocos estarían dispuestos a desligarse de su poder. Sabía que sin la ayuda de Dios la humanidad tendría que perecer, y vio a las multitudes perecer teniendo a su alcance ayuda abundante.

Sobre Cristo como substituto y garante nuestro fue puesta la iniquidad de todos nosotros. Fue contado por transgresor, a fin de que pudiese redimirnos de la condenación de la ley. La culpabilidad de cada descendiente de Adán abrumó su corazón. La ira de Dios contra el pecado, la terrible manifestación de su desagrado por causa de la iniquidad, llenó de consternación el alma de su Hijo. Toda su vida, Cristo había estado proclamando a un mundo caído las buenas nuevas de la misericordia y el amor perdonador del Padre. Su tema era la salvación aun del principal de los pecadores. Pero en estos momentos, sintiendo el terrible peso de la culpabilidad que lleva, no puede ver el rostro reconciliador del Padre. Al sentir el Salvador que de él se retraía el semblante divino en esta hora de suprema angustia, atravesó su corazón un pesar que nunca podrá comprender plenamente el hombre. Tan grande fue esa agonía que apenas le dejaba sentir el dolor físico.

Con fieras tentaciones, Satanás torturaba el corazón de Jesús. El Salvador no podía ver a través de los portales de la tumba. La esperanza no le presentaba su salida del sepulcro como vencedor ni le hablaba de la aceptación de su sacrificio por el Padre. Temía que el pecado fuese tan ofensivo para Dios que su separación resultase eterna. Sintió la angustia que el pecador sentirá cuando la misericordia no interceda más por la raza culpable. El sentido del pecado, que atraía la ira del Padre sobre él como substituto del hombre, fue lo que hizo tan amarga la copa que bebía el Hijo de Dios y quebró su corazón.

Con asombro, los ángeles presenciaron la desesperada agonía del Salvador. Las huestes del cielo velaron sus rostros para no ver ese terrible espectáculo. La naturaleza inanimada expresó simpatía por su Autor insultado y moribundo. El sol se negó a mirar la terrible escena Sus rayos brillantes iluminaban la tierra a mediodía, cuando de repente parecieron borrarse. Como fúnebre mortaja, una obscuridad completa rodeó la cruz. "Fueron hechas tinieblas sobre toda la tierra hasta la hora de nona". Estas tinieblas, que eran tan profundas como la medianoche sin luna ni estrellas, no se debía a ningún eclipse ni a otra causa natural. Era un testimonio milagroso dado por Dios para confirmar la fe de las generaciones ulteriores.

En esa densa obscuridad, se ocultaba la presencia de Dios. El hace de las tinieblas su pabellón y oculta su gloria de los ojos humanos. Dios y sus santos ángeles estaban al lado de la cruz. El Padre estaba con su Hijo. Sin embargo, su presencia no se reveló. Si su gloria hubiese fulgurado de la nube, habría quedado destruido todo espectador humano. En aquella hora terrible, Cristo no fue consolado por la presencia del Padre. Pisó solo el lagar y del pueblo no hubo nadie con él. Con esa densa obscuridad, Dios veló la última agonía humana de su hijo. Todos los que habían visto a Cristo sufrir estaban convencidos de su divinidad. Ese rostro, una vez contemplado por la humanidad, no sería jamás olvidado. Así como el rostro de Caín expresaba su culpabilidad de homicida, el rostro de Cristo revelaba inocencia, serenidad, benevolencia: la imagen de Dios. Pero sus acusadores no quisieron prestar atención al sello del cielo. Durante largas horas de agonía, Cristo había sido mirado por la multitud escarnecedora. Ahora le ocultó misericordiosamente el manto de Dios.

Un silencio sepulcral parecía haber caído sobre el Calvario. Un terror sin nombre dominaba a la muchedumbre que estaba rodeando la cruz. Las maldiciones y los vilipendios quedaron a medio pronunciar. Hombres, mujeres y niños cayeron postrados al suelo. Rayos vívidos fulguraban ocasionalmente de la nube y dejaban ver la cruz y el Redentor crucificado. Sacerdotes, príncipes, escribas, verdugos y la turba, todos pensaron que había llegado su tiempo de retribución. Después de un rato, alguien murmuró que Jesús bajaría ahora de la cruz. Algunos intentaron regresar a tientas a la ciudad, golpeándose el pecho y llorando de miedo.

A la hora nona, las tinieblas se elevaron de la gente, pero siguieron rodeando al Salvador. Eran un símbolo de la agonía y horror que pesaban sobre su corazón. Ningún ojo podía atravesar la lobreguez que rodeaba la cruz, y nadie podía penetrar la lobreguez más intensa que rodeaba el alma doliente de Cristo. Los airados rayos parecían lanzados contra él mientras pendía de la cruz. Entonces "exclamó Jesús a gran voz, diciendo: Eloi, Eloi, ¿lama sabachthani?" "Dios mío, Dios mío, ¿por qué me has desamparado?" Cuando la lobreguez exterior se asentó en derredor del Salvador, muchas voces exclamaron: La venganza del cielo está sobre él. Son lanzados contra él los rayos de la ira de Dios, porque se declaró hijo de Dios. Muchos que creían en él oyeron su clamor desesperado. La esperanza los abandonó. Si Dios había abandonado a Jesús, ¿en quién podían confiar sus seguidores? Cuando las tinieblas se alzaron del espíritu oprimido de Cristo, recrudeció su sentido de los sufrimientos físicos y dijo: "Sed tengo". Uno de los soldados romanos, movido a compasión al mirar sus labios resecos, colocó una esponja en un tallo de hisopo y, sumergiéndola en un vaso de vinagre, se la ofreció a Jesús. Pero los sacerdotes se burlaron de su agonía.

Cuando las tinieblas cubrieron la tierra, se habían llenado de temor; pero al disiparse su terror volvieron a temer que Jesús se les escapase todavía. Interpretaron mal sus palabras: "Eloi, Eloi, ¿lama sabachthani?" Con amargo desprecio y escarnio dijeron: "A Elías llama éste". Rechazaron la última oportunidad de aliviar sus sufrimientos. "Deja —dijeron,— veamos si viene Elías a librarle".

El inmaculado hijo de Dios pendía de la cruz: su carne estaba lacerada por los azotes; aquellas manos que tantas veces se habían extendido para bendecir, estaban clavadas en el madero; aquellos pies tan incansables en los ministerios de amor estaban también clavados a la cruz; esa cabeza real estaba herida por la corona de espinas; aquellos labios temblorosos formulaban clamores de dolor. Y todo lo que sufrió: las gotas de sangre que cayeron de su cabeza, sus manos y sus pies, la agonía que torturó su cuerpo y la inefable angustia que llenó su alma al ocultarse el rostro de su Padre, habla a cada hijo de la humanidad y declara: Por ti consiente el Hijo de Dios en llevar esta carga de culpabilidad; por ti saquea el dominio de la muerte y abre las puertas del Paraíso. El que calmó las airadas ondas y anduvo sobre la cresta espumosa de las olas, el que hizo temblar a los demonios y huir a la enfermedad, el que abrió los ojos de los ciegos y devolvió la vida a los muertos, se ofrece como sacrificio en la cruz, y esto por amor a ti. El, el Expiador del pecado, soporta la ira de la justicia divina y por causa tuya se hizo pecado.

En silencio, los espectadores miraron el fin de la terrible escena. El sol resplandecía; pero la cruz estaba todavía rodeada de tinieblas. Los sacerdotes y príncipes miraban hacia Jerusalén; y he aquí, la nube densa se había asentado sobre la ciudad y las llanuras de Judea. El sol de justicia, la luz del mundo, retiraba sus rayos de Jerusalén, la que una vez fuera la ciudad favorecida. Los fieros rayos de la ira de Dios iban dirigidos contra la ciudad condenada.

De repente, la lobreguez se apartó de la cruz, y en tonos claros, como de trompeta, que parecían repercutir por toda la creación, Jesús exclamó: "Consumado es". "Padre, en tus manos encomiendo mi espíritu". Una luz circuyó la cruz y el rostro del Salvador brilló con una gloria como la del sol. Inclinó entonces la cabeza sobre el pecho y murió

Entre las terribles tinieblas, aparentemente abandonado de Dios, Cristo había apurado las últimas heces de la copa de la desgracia humana. En esas terribles horas había confiado en la evidencia que antes recibiera de que era aceptado de su Padre. Conocía el carácter de su Padre; comprendía su justicia, su misericordia y su gran amor. Por la fe, confió en Aquel a quien había sido siempre su placer obedecer. Y mientras, sumiso, se confiaba a Dios, desapareció la sensación de haber perdido el favor de su Padre. Por la fe, Cristo venció.

Nunca antes había presenciado la tierra una escena tal. La multitud permanecía paralizada, y con aliento en suspenso miraba al Salvador. Otra vez descendieron tinieblas sobre la tierra y se oyó un ronco rumor, como de un fuerte trueno. Se produjo un violento terremoto que hizo caer a la gente en racimos. Siguió la más frenética confusión y consternación. En las montañas circundantes se partieron rocas que bajaron con fragor a las llanuras. Se abrieron sepulcros y los muertos fueron arrojados de sus tumbas. La creación parecía estremecerse hasta los átomos. Príncipes, soldados, verdugos y pueblo yacían postrados en el suelo.

Cuando los labios de Cristo exhalaron el fuerte clamor: "Consumado es," los sacerdotes estaban oficiando en el templo. Era la hora del sacrificio vespertino. Habían traído para matarlo el cordero que representaba a Cristo. Ataviado con vestiduras significativas y hermosas, el sacerdote estaba con el cuchillo levantado, como Abrahán a punto de matar a su hijo. Con intenso interés, el pueblo estaba mirando. Pero la tierra tembló y se agitó; porque el Señor mismo se acercaba. Con ruido desgarrador, el velo interior del templo fue rasgado de arriba abajo por una mano invisible, que dejó expuesto a la mirada de la multitud un lugar que fuera una vez llenado por la presencia de Dios. En este lugar, había morado la shekinah. Allí Dios había manifestado su gloria sobre el propiciatorio. Nadie sino el sumo sacerdote había alzado jamás el velo que separaba este departamento del resto del templo. Allí entraba una vez al año para hacer expiación por los pecados del pueblo. Pero he aquí, este velo se había desgarrado en dos. Ya no era más sagrado el lugar santísimo del santuario terrenal.

Todo era terror y confusión. El sacerdote estaba por matar la víctima; pero el cuchillo cayó de su mano enervada y el cordero escapó. El símbolo había encontrado en la muerte del Hijo de Dios la realidad que prefiguraba. El gran sacrificio había sido hecho. Estaba abierto el camino que llevaba al santísimo. Había sido preparado para todos un camino nuevo y viviente. Ya no necesitaría la humanidad pecaminosa y entristecida esperar la salida del sumo sacerdote. Desde entonces, el Salvador iba a oficiar como sacerdote y abogado en el cielo de los cielos. Era como si una voz viva hubiese dicho a los adoradores: Ahora terminan todos los sacrificios y ofrendas por el pecado. El Hijo de Dios ha venido conforme a su Palabra: "Heme aquí (en la cabecera del libro está escrito de mí) para que haga, oh Dios, tu voluntad". "Por su propia sangre [él entra] una sola vez en el santuario, habiendo obtenido eterna redención".

6

CONSUMADO ES

CRISTO no entregó su vida hasta que hubo cumplido la obra que había venido a hacer, y con su último aliento exclamó: "Consumado es". La batalla había sido ganada. Su diestra y su brazo santo le habían conquistado la victoria. Como Vencedor, plantó su estandarte en las alturas eternas. ¡Qué gozo entre los ángeles! Todo el cielo se asoció al triunfo de Cristo. Satanás, derrotado, sabía que había perdido su reino.

El clamor, "Consumado es," tuvo profundo significado para los ángeles y los mundos que no habían caído. La gran obra de la redención se realizó tanto para ellos como para nosotros. Ellos comparten con nosotros los frutos de la victoria de Cristo.

Hasta la muerte de Cristo, el carácter de Satanás no fue revelado claramente a los ángeles ni a los mundos que no habían caído. El gran apóstata se había revestido de tal manera de engaño que aun los seres santos no habían comprendido sus principios. No habían percibido claramente la naturaleza de su rebelión.

Era un ser de poder y gloria admirables el que se había levantado contra Dios. Acerca de Lucifer el Señor dice: "Tú echas el sello a la proporción, lleno de sabiduría, y acabado de hermosura". Lucifer había sido el querubín cubridor. Había estado en la luz de la presencia de Dios. Había sido el más alto de todos los seres creados y el primero en revelar los propósitos de Dios al universo. Después que hubo pecado, su poder seductor era tanto más engañoso y resultaba tanto más difícil desenmascarar su carácter cuanto más exaltada había sido la posición que ocupara cerca del Padre.

Dios podría haber destruido a Satanás y a los que simpatizaban con él tan fácilmente como nosotros podemos arrojar una piedrecita al suelo; pero no lo hizo. La rebelión no se había de vencer por la fuerza. Sólo el gobierno satánico recurre al poder compulsorio. Los principios del Señor no son de este orden. Su autoridad descansa en la bondad, la misericordia y el amor; y la presentación de estos principios es el medio que quiere emplear. El gobierno de Dios es moral, y la verdad y el amor han de ser la fuerza que lo haga prevalecer.

Era el propósito de Dios colocar las cosas sobre una eterna base de seguridad, y en los concilios del cielo fue decidido que se le debía dar a Satanás tiempo para que desarrollara los principios que constituían el fundamento de su sistema de gobierno. El había aseverado que eran superiores a los principios de Dios. Se dio tiempo al desarrollo de los principios de Satanás, a fin de que pudiesen ser vistos por el universo celestial.

Satanás indujo a los hombres a pecar, y el plan de la redención fue puesto en práctica. Durante cuatro mil años Cristo estuvo obrando para elevar al hombre, y Satanás para arruinarlo y degradarlo. Y el universo celestial lo contempló todo.

Cuando Jesús vino al mundo, el poder de Satanás fue dirigido contra él. Desde que apareció como niño en Belén, el usurpador obró para lograr su destrucción. De toda manera posible, procuró impedir que Jesús alcanzase una infancia perfecta, una virilidad inmaculada, un ministerio santo, y un sacrificio sin mancha. Pero fue derrotado. No pudo inducir a Jesús a pecar. No pudo desalentarle ni inducirle a apartarse de la obra que había venido a hacer en la tierra. Desde el desierto al Calvario, la tempestad de la ira de Satanás le azotó, pero cuanto más despiadada era, tanto más firmemente se aferraba el Hijo de Dios de la mano de su Padre, y avanzaba en la senda ensangrentada.

Todos los esfuerzos de Satanás para oprimirle y vencerle no lograron sino hacer resaltar con luz más pura su carácter inmaculado. Todo el cielo y los mundos que no habían caído fueron testigos de la controversia. Con qué intenso interés siguieron las escenas finales del conflicto. Vieron al Salvador entrar en el huerto de Getsemaní, con el alma agobiada por el horror de las densas tinieblas. Oyeron su amargo clamor: "Padre mío, si es posible, pase de mí este vaso". Al retirarse de él la presencia del Padre, le vieron entristecido con una amargura de pesar que excedía a la de la última gran lucha con la muerte. El sudor de sangre brotó de sus poros y cayó en gotas sobre el suelo. Tres veces fue arrancada de sus labios la oración por liberación. El Cielo no podía ya soportar la escena, y un mensajero de consuelo fue enviado al Hijo de Dios.

El Cielo contempló a la Víctima entregada en las manos de la turba homicida y llevada apresuradamente entre burlas y violencias de un tribunal a otro. Oyó los escarnios de sus perseguidores con referencia a su humilde nacimiento. Oyó a uno de sus más amados discípulos negarle con maldiciones y juramentos. Vio la obra frenética de Satanás y su poder sobre los corazones humanos. ¡Oh terrible escena! El Salvador apresado a media noche en Getsemaní, arrastrado de aquí para allá desde el palacio al tribunal, emplazado dos veces delante de los sacerdotes, dos veces delante del Sanedrín, dos veces delante de Pilato y una vez delante de Herodes. Burlado, azotado, condenado y llevado a ser crucificado, cargado con la pesada cruz, entre el llanto de las hijas de Jerusalén y los escarnios del populacho.

El Cielo contempló con pesar y asombro a Cristo colgado de la cruz, mientras la sangre fluía de sus sienes heridas y el sudor teñido de sangre brotaba en su frente. De sus manos y sus pies caía la sangre, gota a gota, sobre la roca horadada para recibir el pie de la cruz. Las heridas hechas por los clavos se desgarraban bajo el peso de su cuerpo. Su jadeante aliento se fue haciendo más rápido y más profundo, mientras su alma agonizaba bajo la carga de los pecados del mundo. Todo el cielo se llenó de asombro cuando Cristo ofreció su oración en medio de sus terribles sufrimientos: "Padre, perdónalos, porque no saben lo que hacen". Sin embargo, allí estaban los hombres formados a la imagen de Dios uniéndose para destruir la vida de su Hijo unigénito. ¡Qué espectáculo para el universo celestial!

Los principados y las potestades de las tinieblas estaban congregados en derredor de la cruz, arrojando la sombra infernal de la incredulidad en los corazones humanos. Cuando el Señor creó estos seres para que estuviesen delante de su trono eran hermosos y gloriosos. Su belleza y santidad estaban de acuerdo con su exaltada posición. Estaban enriquecidos por la sabiduría de Dios y ceñidos por la panoplia del cielo. Eran ministros de Jehová. Pero, ¿quién podía reconocer en los ángeles caídos a los gloriosos serafines que una vez ministraron en los atrios celestiales?

Los agentes satánicos se confederaron con los hombres impíos para inducir al pueblo a creer que Cristo era el príncipe de los pecadores, y para hacer de él un objeto de abominación. Los que se burlaron de Cristo mientras pendía de la cruz estaban dominados por el espíritu del primer gran rebelde. Llenó sus bocas de palabras viles y abominables. Inspiró sus burlas. Pero nada ganó con todo esto.

Si se hubiese podido encontrar un pecado en Cristo, si en un detalle hubiese cedido a Satanás para escapar a la terrible tortura, el enemigo de Dios y del hombre habría triunfado. Cristo inclinó la cabeza y murió, pero mantuvo firme su fe y su sumisión a Dios. "Y oí una grande voz en el cielo que decía: Ahora ha venido la salvación, y la virtud, y el reino de nuestro Dios, y el poder de su Cristo; porque el acusador de nuestros hermanos ha sido arrojado, el cual los acusaba delante de nuestro Dios día y noche".

Satanás vio que su disfraz le había sido arrancado. Su administración quedaba desenmascarada delante de los ángeles que no habían caído y delante del universo celestial. Se había revelado como homicida. Al derramar la sangre del Hijo de Dios, había perdido la simpatía de los seres celestiales. Desde entonces su obra sería restringida. Cualquiera que fuese la actitud que asumiese, no podría ya acechar a los ángeles mientras salían de los atrios celestiales, ni acusar ante ellos a los hermanos de Cristo de estar revestidos de ropas de negrura y contaminación de pecado. Estaba roto el último vínculo de simpatía entre Satanás y el mundo celestial.

Sin embargo, Satanás no fue destruido entonces. Los ángeles no comprendieron ni aun entonces todo lo que entrañaba la gran controversia. Los principios que estaban en juego habían de ser revelados en mayor plenitud. Y por causa del hombre, la existencia de Satanás debía continuar. Tanto el hombre como los ángeles debían ver el contraste entre el Príncipe de la luz y el príncipe de las tinieblas. El hombre debía elegir a quién quería servir.

Al principio de la gran controversia, Satanás había declarado que la ley de Dios no podía ser obedecida, que la justicia no concordaba con la misericordia y que, si la ley había sido violada, era imposible que el pecador fuese perdonado. Cada pecado debía recibir su castigo, sostenía insistentemente Satanás; y si Dios remitía el castigo del pecado, no era un Dios de verdad y justicia. Cuando los hombres violaban la ley de Dios y desafiaban su voluntad, Satanás se regocijaba. Declaraba que ello demostraba que la ley de Dios no podía ser obedecida; el hombre no podía ser perdonado. Por cuanto él mismo, después de su rebelión, había sido desterrado del cielo, Satanás sostenía que la familia humana debía quedar privada para siempre del favor de Dios. Insistía en que Dios no podía ser justo y, al mismo tiempo, mostrar misericordia al pecador.

Pero aunque pecador, el hombre estaba en una situación diferente de la de Satanás. Lucifer había pecado en el cielo en la luz de la gloria de Dios. A él como a ningún otro ser creado había sido dada una revelación del amor de Dios. Comprendiendo el carácter de Dios y conociendo su bondad, Satanás decidió seguir su propia voluntad egoísta e independiente. Su elección fue final. No había ya nada que Dios pudiese hacer para salvarle. Pero el hombre fue engañado; su mente fue entenebrecida por el sofisma de Satanás. No conocía la altura y la profundidad del amor de Dios. Para él había esperanza en el conocimiento del amor de Dios. Contemplando su carácter, podía ser atraído de vuelta a Dios.

Mediante Jesús, la misericordia de Dios fue manifestada a los hombres; pero la misericordia no pone a un lado la justicia. La ley revela los atributos del carácter de Dios, y no podía cambiarse una jota o un tilde de ella para ponerla al nivel del hombre en su condición caída. Dios no cambió su ley, pero se sacrificó, en Cristo, por la redención del hombre. "Dios estaba en Cristo reconciliando el mundo a sí".

La ley requiere justicia, una vida justa, un carácter perfecto; y esto no lo tenía el hombre para darlo. No puede satisfacer los requerimientos de la santa ley de Dios. Pero Cristo, viniendo a la tierra como hombre, vivió una vida santa y desarrolló un carácter perfecto. Ofrece éstos como don gratuito a todos los que quieran recibirlos. Su vida reemplaza la vida de los hombres. Así tienen remisión de los pecados pasados, por la paciencia de Dios. Más que esto, Cristo imparte a los hombres atributos de Dios. Edifica el carácter humano a la semejanza del carácter divino y produce una hermosa obra espiritualmente fuerte y bella. Así la misma justicia de la ley se cumple en el que cree en Cristo. Dios puede ser "justo, y el que justifica al que es de la fe de Jesús".

El amor de Dios ha sido expresado en su justicia no menos que en su misericordia. La justicia es el fundamento de su trono y el fruto de su amor. Había sido el propósito de Satanás divorciar la misericordia de la verdad y la justicia. Procuró demostrar que la justicia de la ley de Dios es enemiga de la paz. Pero Cristo demuestra que en el plan de Dios están indisolublemente unidas; la una no puede existir sin la otra. "La misericordia y la verdad se encontraron; la justicia y la paz se besaron ".

Por su vida y su muerte, Cristo demostró que la justicia de Dios no destruye su misericordia, que el pecado podía ser perdonado, y que la ley es justa y puede ser obedecida perfectamente. Las acusaciones de Satanás fueron refutadas. Dios había dado al hombre evidencia inequívoca de su amor.

Otro engaño iba a ser presentado ahora. Satanás declaró que la misericordia destruía la justicia, que la muerte de Cristo abrogaba la ley del Padre. Si hubiese sido posible que la ley fuera cambiada o abrogada, Cristo no habría necesitado morir. Pero abrogar la ley sería inmortalizar la transgresión y colocar al mundo bajo el dominio de Satanás. Porque la ley era inmutable, porque el hombre podía ser salvo únicamente por la obediencia a sus preceptos, fue levantado Jesús en la cruz. Sin embargo, Satanás representó como destructor de la ley aquel mismo medio por el cual Cristo la estableció. Alrededor de esto girará el último conflicto de la gran lucha entre Cristo y Satanás.

El aserto que Satanás presenta ahora es que la ley pronunciada por la misma voz de Dios es deficiente, que alguna especificación de ella ha sido puesta a un lado. Es el último gran engaño que arrojará sobre el mundo. No necesita atacar toda la ley; si puede inducir a los hombres a despreciar un precepto, logra su propósito. "Porque cualquiera que hubiere guardado toda la ley, y ofendiere en un punto, es hecho culpado de todos". Consintiendo en violar un precepto, los hombres se colocan bajo el poder de Satanás. Substituyendo la ley de Dios por la ley humana, Satanás procurará dominar al mundo. Esta obra está predicha en la profecía. Acerca del gran poder apóstata que representa a Satanás, se ha declarado: "Hablará palabras contra el Altísimo, y a los santos del Altísimo quebrantará, y pensará en mudar los tiempos y la ley: y entregados serán en su mano".

Los hombres erigirán con seguridad sus leyes para contrarrestar las leyes de Dios. Tratarán de compeler las conciencias ajenas, y en su celo para imponer esas leyes oprimirán a sus semejantes.

La guerra contra la ley de Dios, que empezó en el cielo, continuará hasta el fin del tiempo. Cada hombre será probado. El mundo entero ha de decidir si quiere obedecer o desobedecer. Todos serán llamados a elegir entre la ley de Dios y las leyes de los hombres. En esto se trazará la línea divisoria. Habrá solamente dos clases. Todo carácter quedará plenamente definido; y todos demostrarán si han elegido el lado de la lealtad o el de la rebelión.

Entonces vendrá el fin. Dios vindicará su ley y librará a su pueblo. Satanás y todos los que se han unido con él en la rebelión serán cortados. El pecado y los pecadores perecerán, raíz y rama, Satanás la raíz y sus seguidores las ramas. Será cumplida la palabra dirigida al príncipe del mal: "Por cuanto pusiste tu corazón como corazón de Dios, ... te arrojé de entre las piedras del fuego, oh querubín cubridor. ... En espanto serás, y para siempre dejarás de ser". Entonces "no será el malo: y contemplarás sobre su lugar, y no parecerá;" "serán como si no hubieran sido".

Este no es un acto de fuerza arbitraria de parte de Dios. Los que rechazaron su misericordia siegan lo que sembraron. Dios es la fuente de la vida; y cuando uno elige el servicio del pecado, se separa de Dios, y se separa así de la vida. Queda privado "de la vida de Dios". Cristo dice: "Todos los que me aborrecen, aman la muerte". Dios les da la existencia por un tiempo para que desarrollen su carácter y revelen sus principios. Logrado esto, reciben los resultados de su propia elección. Por una vida de rebelión, Satanás y todos los que se unen con él se colocan de tal manera en desarmonía con Dios que la misma presencia de él es para ellos un fuego consumidor. La gloria de Aquel que es amor los destruye.

Al principio de la gran controversia, los ángeles no comprendían esto. Si se hubiese dejado a Satanás y su hueste cosechar el pleno resultado de su pecado, habrían perecido; pero para los seres celestiales no habría sido evidente que ello era el resultado inevitable del pecado. Habría permanecido en su mente una duda en cuanto a la bondad de Dios, como mala semilla para producir su mortífero fruto de pecado y desgracia.

Pero no sucederá así cuando la gran controversia termine. Entonces, habiendo sido completado el plan de la redención, el carácter de Dios quedará revelado a todos los seres creados. Se verá que los preceptos de su ley son perfectos e inmutables. El pecado habrá manifestado entonces su naturaleza; Satanás, su carácter. Entonces el exterminio del pecado vindicará el amor de Dios y rehabilitará su honor delante de un universo compuesto de seres que se deleitarán en hacer su voluntad y en cuyo corazón estará su ley.

Bien podían, pues, los ángeles regocijarse al mirar la cruz del Salvador; porque aunque no lo comprendiesen entonces todo, sabían que la destrucción del pecado y de Satanás estaba asegurada para siempre, como también la redención del hombre, y el universo quedaba eternamente seguro. Cristo mismo comprendía plenamente los resultados del sacrificio hecho en el Calvario. Los consideraba todos cuando en la cruz exclamó: "Consumado es".

7

EN LA TUMBA DE JOSÉ

Por fin Jesús descansaba. El largo día de oprobio y tortura había terminado. Al llegar el sábado con los últimos rayos del sol poniente, el Hijo de Dios yacía en quietud en la tumba de José. Terminada su obra, con las manos cruzadas en paz, descansó durante las horas sagradas del sábado.

Al principio, el Padre y el Hijo habían descansado el sábado después de su obra de creación. Cuando "fueron acabados los cielos y la tierra, y todo su ornamento," el Creador y todos los seres celestiales se regocijaron en la contemplación de la gloriosa escena. "Las estrellas todas del alba alababan, y se regocijaban todos los hijos de Dios". Ahora Jesús descansaba de la obra de la redención; y aunque había pesar entre aquellos que le amaban en la tierra, había gozo en el cielo. La promesa de lo futuro era gloriosa a los ojos de los seres celestiales. Una creación restaurada, una raza redimida, que por haber vencido el pecado, nunca más podría caer, era lo que Dios y los ángeles veían como resultado de la obra concluida por Cristo. Con esta escena está para siempre vinculado el día en que Cristo descansó. Porque su "obra es perfecta;" y "todo lo que Dios hace, eso será perpetuo". Cuando se produzca "la restauración de todas las cosas, de la cual habló Dios por boca de sus santos profetas, que ha habido desde la antigüedad," el sábado de la creación, el día en que Cristo descansó en la tumba de José, será todavía un día de reposo y regocijo. El cielo y la tierra se unirán en alabanza mientras que "de sábado en sábado," las naciones de los salvos adorarán con gozo a Dios y al Cordero.

En los acontecimientos finales del día de la crucifixión, se dieron nuevas pruebas del cumplimiento de la profecía y nuevos testimonios de la divinidad de Cristo. Cuando las tinieblas se alzaron de la cruz, y el Salvador hubo exhalado su clamor moribundo, inmediatamente se oyó otra voz que decía: "Verdaderamente Hijo de Dios era éste".

Estas palabras no fueron pronunciadas en un murmullo. Todos los ojos se volvieron para ver de dónde venían. ¿Quién había hablado? Era el centurión, el soldado romano. La divina paciencia del Salvador y su muerte repentina, con el clamor de victoria en los labios, habían impresionado a ese pagano. En el cuerpo magullado y quebrantado que pendía de la cruz, el centurión reconoció la figura del Hijo de Dios. No pudo menos que confesar su fe. Así se dio nueva evidencia de que nuestro Redentor iba a ver del trabajo de su alma. En el mismo día de su muerte, tres hombres, que diferían ampliamente el uno del otro, habían declarado su fe: el que comandaba la guardia romana, el que llevó la cruz del Salvador, y el que murió en la cruz a su lado.

Al acercarse la noche, una quietud sorprendente se asentó sobre el Calvario. La muchedumbre se dispersó, y muchos volvieron a Jerusalén muy cambiados en espíritu de lo que habían sido por la mañana. Muchos habían acudido a la crucifixión por curiosidad y no por odio hacia Cristo. Sin embargo, creían las acusaciones de los sacerdotes y consideraban a Jesús como malhechor. Bajo una excitación sobrenatural se habían unido con la muchedumbre en sus burlas contra él. Pero cuando la tierra fue envuelta en negrura y se sintieron acusados por su propia conciencia, se vieron culpables de un gran mal. Ninguna broma ni risa burlona se oyó en medio de aquella temible lobreguez; cuando se alzó, regresaron a sus casas en solemne silencio. Estaban convencidos de que las acusaciones de los sacerdotes eran falsas, que Jesús no era un impostor; y algunas semanas más tarde, cuando Pedro predicó en el día de Pentecostés, se encontraban entre los miles que se convirtieron a Cristo.

Pero los dirigentes judíos no fueron cambiados por los acontecimientos que habían presenciado. Su odio hacia Jesús no disminuyó. Las tinieblas que habían descendido sobre la tierra en ocasión de la crucifixión no eran más densas que las que rodeaban todavía el espíritu de los sacerdotes y príncipes. En ocasión de su nacimiento, la estrella había conocido a Cristo, y había guiado a los magos hasta el pesebre donde yacía. Las huestes celestiales le habían conocido y habían cantado su alabanza sobre las llanuras de Belén. El mar había conocido su voz y acatado su orden. La enfermedad y la muerte habían reconocido su autoridad y le habían cedido su presa. El sol le había conocido, y a la vista de su angustia de moribundo había ocultado su rostro de luz. Las rocas le habían conocido y se habían desmenuzado en fragmentos a su clamor. La naturaleza inanimada había conocido a Cristo y había atestiguado su divinidad. Pero los sacerdotes y príncipes de Israel no conocieron al Hijo de Dios.

Sin embargo, no descansaban. Habían llevado a cabo su propósito de dar muerte a Cristo; pero no tenían el sentimiento de victoria que habían esperado. Aun en la hora de su triunfo aparente, estaban acosados por dudas en cuanto a lo que iba a suceder luego.

Habían oído el clamor: "Consumado es". "Padre, en tus manos encomiendo mi espíritu". Habían visto partirse las rocas, habían sentido el poderoso terremoto, y estaban agitados e intranquilos. Habían tenido celos de la influencia de Cristo sobre el pueblo cuando vivía; tenían celos de él aun en la muerte. Temían más, mucho más, al Cristo muerto de lo que habían temido jamás al Cristo vivo. Temían que la atención del pueblo fuese dirigida aun más a los acontecimientos que acompañaron su crucifixión. Temían los resultados de la obra de ese día. Por ningún pretexto querían que su cuerpo permaneciese en la cruz durante el sábado. El sábado se estaba acercando y su santidad quedaría violada si los cuerpos permanecían en la cruz. Así que, usando esto como pretexto, los dirigentes judíos pidieron a Pilato que hiciese apresurar la muerte de las víctimas y quitar sus cuerpos antes de la puesta del sol.

Pilato tenía tan poco deseo como ellos de que el cuerpo de Jesús permaneciese en la cruz. Habiendo obtenido su consentimiento, hicieron romper las piernas de los dos ladrones para apresurar su muerte; pero se descubrió que Jesús ya había muerto. Los rudos soldados habían sido enternecidos por lo que habían oído y visto de Cristo, y esto les impidió quebrarle los miembros. Así en la ofrenda del Cordero de Dios se cumplió la ley de la Pascua: "No dejarán de él para la mañana, ni quebrarán hueso en él: conforme a todos los ritos de la pascua la harán".

Los sacerdotes y príncipes se asombraron al hallar que Cristo había muerto. La muerte de cruz era un proceso lento; era difícil determinar cuándo cesaba la vida. Era algo inaudito que un hombre muriese seis horas después de la crucifixión. Los sacerdotes querían estar seguros de la muerte de Jesús, y a sugestión suya un soldado dio un lanzazo al costado del Salvador. De la herida así hecha, fluyeron dos copiosos y distintos raudales: uno de sangre, el otro de agua. Esto fue notado por todos los espectadores, y Juan anota el suceso muy definidamente. Dice: "Uno de los soldados le abrió el costado con una lanza, y luego salió sangre y agua. Y el que lo vio, da testimonio, y su testimonio es verdadero: y él sabe que dice verdad, para que vosotros también creáis. Porque estas cosas fueron hechas para que se cumpliese la Escritura: Hueso no quebrantaréis de él. Y también otra Escritura dice: Mirarán al que traspasaron".

Después de la resurrección, los sacerdotes y príncipes hicieron circular el rumor de que Cristo no murió en la cruz, que simplemente se había desmayado, y que más tarde revivió. Otro rumor afirmaba que no era un cuerpo real de carne y hueso, sino la semejanza de un cuerpo, lo que había sido puesto en la tumba. La acción de los soldados romanos desmiente estas falsedades. No le rompieron las piernas, porque ya estaba muerto. Para satisfacer a los sacerdotes, le atravesaron el costado. Si la vida no hubiese estado ya extinta, esta herida le habría causado una muerte instantánea.

Pero no fue el lanzazo, no fue el padecimiento de la cruz, lo que causó la muerte de Jesús. Ese clamor, pronunciado "con grande voz," en el momento de la muerte, el raudal de sangre y agua que fluyó de su costado, declaran que murió por quebrantamiento del corazón. Su corazón fue quebrantado por la angustia mental. Fue muerto por el pecado del mundo.

Con la muerte de Cristo, perecieron las esperanzas de sus discípulos. Miraban sus párpados cerrados y su cabeza caída, su cabello apelmazado con sangre, sus manos y pies horadados, y su angustia era indescriptible. Hasta el final no habían creído que muriese; apenas si podían creer que estaba realmente muerto. Abrumados por el pesar, no recordaban sus palabras que habían predicho esa misma escena. Nada de lo que él había dicho los consolaba ahora. Veían solamente la cruz y su víctima ensangrentada. El futuro parecía sombrío y desesperado. Su fe en Jesús se había desvanecido; pero nunca habían amado tanto a su Salvador como ahora. Nunca antes habían sentido tanto su valor y la necesidad de su presencia.

Aun en la muerte, el cuerpo de Cristo era precioso para sus discípulos. Anhelaban darle una sepultura honrosa, pero no sabían cómo lograrlo. La traición contra el gobierno romano era el crimen por el cual Jesús había sido condenado, y las personas ajusticiadas por esta ofensa eran remitidas a un lugar de sepultura especialmente provisto para tales criminales. El discípulo Juan y las mujeres de Galilea habían permanecido al pie de la cruz. No podían abandonar el cuerpo de su Señor en manos de los soldados insensibles para que lo sepultasen en una tumba deshonrosa. Sin embargo, eran impotentes para impedirlo. No podían obtener favores de las autoridades judías, y no tenían influencia ante Pilato.

En esta emergencia, José de Arimatea y Nicodemo vinieron en auxilio de los discípulos. Ambos hombres eran miembros del Sanedrín y conocían a Pilato. Ambos eran hombres de recursos e influencia. Estaban resueltos a que el cuerpo de Jesús recibiese sepultura honrosa.

José fue osadamente a Pilato y le pidió el cuerpo de Jesús. Por primera vez, supo Pilato que Jesús estaba realmente muerto. Informes contradictorios le habían llegado acerca de los acontecimientos que habían acompañado la crucifixión, pero el conocimiento de la muerte de Cristo le había sido ocultado a propósito. Pilato había sido advertido por los sacerdotes y príncipes contra el engaño de los discípulos de Cristo respecto de su cuerpo. Al oír la petición de José, mandó llamar al centurión que había estado encargado de la cruz, y supo con certeza la muerte de Jesús. También oyó de él un relato de las escenas del Calvario que confirmaba el testimonio de José.

Fue concedido a José lo que pedía. Mientras Juan se preocupaba por la sepultura de su Maestro, José volvió con la orden de Pilato de que le entregasen el cuerpo de Cristo; y Nicodemo vino trayendo una costosa mezcla de mirra y áloes, que pesaría alrededor de unos cuarenta kilos, para embalsamarle. Imposible habría sido tributar mayor respeto en la muerte a los hombres más honrados de toda Jerusalén. Los discípulos se quedaron asombrados al ver a estos ricos príncipes tan interesados como ellos en la sepultura de su Señor.

Ni José ni Nicodemo habían aceptado abiertamente al Salvador mientras vivía. Sabían que un paso tal los habría excluido del Sanedrín, y esperaban protegerle por su influencia en los concilios. Durante un tiempo, pareció que tenían éxito; pero los astutos sacerdotes, viendo cómo favorecían a Cristo, habían estorbado sus planes. En su ausencia, Jesús había sido condenado y entregado para ser crucificado. Ahora que había muerto, ya no ocultaron su adhesión a él. Mientras los discípulos temían manifestarse abiertamente como adeptos suyos, José y Nicodemo acudieron osadamente en su auxilio. La ayuda de estos hombres ricos y honrados era muy necesaria en ese momento. Podían hacer por su Maestro muerto lo que era imposible para los pobres discípulos; su riqueza e influencia los protegían mucho contra la malicia de los sacerdotes y príncipes.

Con suavidad y reverencia, bajaron con sus propias manos el cuerpo de Jesús. Sus lágrimas de simpatía caían en abundancia mientras miraban su cuerpo magullado y lacerado. José poseía una tumba nueva, tallada en una roca. Se la estaba reservando para sí mismo, pero estaba cerca del Calvario, y ahora la preparó para Jesús. El cuerpo, juntamente con las especias traídas por Nicodemo, fue envuelto cuidadosamente en un sudario, y el Redentor fue llevado a la tumba. Allí, los tres discípulos enderezaron los miembros heridos y cruzaron las manos magulladas sobre el pecho sin vida. Las mujeres galileas vinieron para ver si se había hecho todo lo que podía hacerse por el cuerpo muerto de su amado Maestro. Luego vieron cómo se hacía rodar la pesada piedra contra la entrada de la tumba, y el Salvador fue dejado en el descanso. Las mujeres fueron las últimas que quedaron al lado de la cruz, y las últimas que quedaron al lado de la tumba de Cristo. Mientras las sombras vespertinas iban cayendo, María Magdalena y las otras Marías permanecían al lado del lugar donde descansaba su Señor derramando lágrimas de pesar por la suerte de Aquel a quien amaban. "Y vueltas,... reposaron el sábado, conforme al mandamiento".

Para los entristecidos discípulos ése fue un sábado que nunca olvidarían, y también lo fue para los sacerdotes, los príncipes, los escribas y el pueblo. A la puesta del sol, en la tarde del día de preparación, sonaban las trompetas para indicar que el sábado había empezado. La Pascua fue observada como lo había sido durante siglos, mientras que Aquel a quien señalaba, ultimado por manos perversas, yacía en la tumba de José. El sábado, los atrios del templo estuvieron llenos de adoradores. El sumo sacerdote que había estado en el Gólgota estaba allí, magníficamente ataviado en sus vestiduras sacerdotales. Sacerdotes de turbante blanco, llenos de actividad, cumplían sus deberes. Pero algunos de los presentes no estaban tranquilos mientras se ofrecía por el pecado la sangre de becerros y machos cabríos. No tenían conciencia de que las figuras hubiesen encontrado la realidad que prefiguraban, de que un sacrificio infinito había sido hecho por los pecados del mundo. No sabían que no tenía ya más valor el cumplimiento de los ritos ceremoniales. Pero nunca antes había sido presenciado este ceremonial con sentimientos tan contradictorios. Las trompetas y los instrumentos de música y las voces de los cantores resonaban tan fuerte y claramente como de costumbre. Pero un sentimiento de extrañeza lo compenetraba todo. Uno tras otro preguntaba acerca del extraño suceso que había acontecido. Hasta entonces, el lugar santísimo había sido guardado en forma sagrada de todo intruso. Pero ahora estaba abierto a todos los ojos. El pesado velo de tapicería, hecho de lino puro y hermosamente adornado de oro, escarlata y púrpura, estaba rasgado de arriba abajo. El lugar donde Jehová se encontraba con el sumo sacerdote, para comunicar su gloria, el lugar que había sido la cámara de audiencia sagrada de Dios, estaba abierto a todo ojo; ya no era reconocido por el Señor. Con lóbregos presentimientos, los sacerdotes ministraban ante el altar. La exposición del misterio sagrado del lugar santísimo les hacía temer que sobreviniera alguna calamidad.

Muchos espíritus repasaban activamente los pensamientos iniciados por las escenas del Calvario. De la crucifixión hasta la resurrección, muchos ojos insomnes escudriñaron constantemente las profecías, algunos para aprender el pleno significado de la fiesta que estaban celebrando, otros para hallar evidencia de que Jesús no era lo que aseveraba ser; y otros, con corazón entristecido, buscando pruebas de que era el verdadero Mesías. Aunque escudriñando con diferentes objetos en vista, todos fueron convencidos de la misma verdad, a saber que la profecía había sido cumplida en los sucesos de los últimos días y que el Crucificado era el Redentor del mundo. Muchos de los que en esa ocasión participaron del ceremonial no volvieron nunca a tomar parte en los ritos pascuales. Muchos, aun entre los sacerdotes, se convencieron del verdadero carácter de Jesús. Su escrutinio de las profecías no había sido inútil, y después de su resurrección le reconocieron como el Hijo de Dios.

Cuando Nicodemo vio a Jesús alzado en la cruz, recordó las palabras que le dijera de noche en el monte de las Olivas: "Como Moisés levantó la serpiente en el desierto, así es necesario que el Hijo del hombre sea levantado; para que todo aquel que en él creyere, no se pierda, sino que tenga vida eterna". "En aquel sábado, mientras Cristo yacía en la tumba, Nicodemo tuvo oportunidad de reflexionar. Una luz más clara iluminaba ahora su mente, y las palabras que Jesús le había dicho no eran ya misteriosas. Comprendía que había perdido mucho por no relacionarse con el Salvador durante su vida. Ahora recordaba los acontecimientos del Calvario. La oración de Cristo por sus homicidas y su respuesta a la petición del ladrón moribundo hablaban al corazón del sabio consejero. Volvía a ver al Salvador en su agonía; volvía a oír ese último clamor: "Consumado es," emitido como palabras de un vencedor. Volvía a contemplar la tierra que se sacudía, los cielos obscurecidos, el velo desgarrado, las rocas desmenuzadas, y su fe quedó establecida para siempre. El mismo acontecimiento que destruyó las esperanzas de los discípulos convenció a José y a Nicodemo de la divinidad de Jesús. Sus temores fueron vencidos por el valor de una fe firme e inquebrantable.

Nunca había atraído Cristo la atención de la multitud como ahora que estaba en la tumba. Según su costumbre, la gente traía sus enfermos y dolientes a los atrios del templo preguntando: ¿Quién nos puede decir dónde está Jesús de Nazaret? Muchos habían venido de lejos para hallar a Aquel que había sanado a los enfermos y resucitado a los muertos. Por todos lados, se oía el clamor: Queremos a Cristo el Sanador. En esta ocasión, los sacerdotes examinaron a aquellos que se creía daban indicio de lepra. Muchos tuvieron que oírlos declarar leprosos a sus esposos, esposas, o hijos, y condenarlos a apartarse del refugio de sus hogares y del cuidado de sus deudos, para advertir a los extraños con el lúgubre clamor: "¡Inmundo, inmundo!" Las manos amistosas de Jesús de Nazaret, que nunca negaron el toque sanador al asqueroso leproso, estaban cruzadas sobre su pecho. Los labios que habían contestado sus peticiones con las consoladoras palabras: "Quiero; sé limpio" estaban callados. Muchos apelaban a los sumos sacerdotes y príncipes en busca de simpatía y alivio, pero en vano. Aparentemente estaban resueltos a tener de nuevo en su medio al Cristo vivo. Con perseverante fervor preguntaban por él. No querían que se les despachase. Pero fueron ahuyentados de los atrios del templo, y se colocaron soldados a las puertas para impedir la entrada a la multitud que venía con sus enfermos y moribundos demandando entrada.

Los que sufrían y habían venido para ser sanados por el Salvador quedaron abatidos por el chasco. Las calles estaban llenas de lamentos. Los enfermos morían por falta del toque sanador de Jesús. Se consultaba en vano a los médicos; no había habilidad como la de Aquel que yacía en la tumba de José.

Los lamentos de los dolientes infundieron a millares de espíritus la convicción de que se había apagado una gran luz en el mundo. Sin Cristo, la tierra era tinieblas y obscuridad. Muchos cuyas voces habían reforzado el clamor de "¡Crucifícale! ¡crucifícale!" comprendían ahora la calamidad que había caído sobre ellos, y con tanta avidez habrían clamado: Dadnos a Jesús, si hubiese estado vivo.

Cuando la gente supo que Jesús había sido ejecutado por los sacerdotes, empezó a preguntar acerca de su muerte. Los detalles de su juicio fueron mantenidos tan en secreto como fue posible; pero durante el tiempo que estuvo en la tumba, su nombre estuvo en millares de labios; y los informes referentes al simulacro de juicio a que había sido sometido y a la inhumanidad de los sacerdotes y príncipes circularon por doquiera. Hombres de intelecto pidieron a estos sacerdotes y príncipes que explicasen las profecías del Antiguo Testamento concernientes al Mesías, y éstos, mientras procuraban fraguar alguna mentira en respuesta, parecieron enloquecer. No podían explicar las profecías que señalaban los sufrimientos y la muerte de Cristo, y muchos de los indagadores se convencieron de que las Escrituras se habían cumplido.

La venganza que los sacerdotes habían pensado sería tan dulce era ya amargura para ellos. Sabían que el pueblo los censuraba severamente y que los mismos en quienes habían influido contra Jesús estaban ahora horrorizados por su vergonzosa obra. Estos sacerdotes habían procurado creer que Jesús era un impostor; pero era en vano. Algunos de ellos habían estado al lado de la tumba de Lázaro y habían visto al muerto resucitar. Temblaron temiendo que Cristo mismo resucitase de los muertos y volviese a aparecer delante de ellos. Le habían oído declarar que él tenía poder para deponer su vida y volverla a tornar. Recordaron que había dicho: "Destruid este templo, y en tres días lo levantaré". Judas les había repetido las palabras dichas por Jesús a los discípulos durante el último viaje a Jerusalén: "He aquí subimos a Jerusalem, y el Hijo del hombre será entregado a los príncipes de los sacerdotes y a los escribas, y le condenarán a muerte; y le entregarán a los Gentiles para que le escarnezcan, y azoten, y crucifiquen; mas al tercer día resucitará".

Cuando oyeron estas palabras, se burlaron de ellas y las ridiculizaron. Pero ahora recordaban que hasta aquí las predicciones de Cristo se habían cumplido. Había dicho que resucitaría al tercer día,

¿y quién podía decir si esto también no acontecería? Anhelaban apartar estos pensamientos, pero no podían. Como su padre, el diablo, creían y temblaban.

Ahora que había pasado el frenesí de la excitación, la imagen de Cristo se presentaba a sus espíritus. Le contemplaban de pie, sereno y sin quejarse delante de sus enemigos, sufriendo sin un murmullo sus vilipendias y ultrajes. Recordaban todos los acontecimientos de su juicio y crucifixión con una abrumadora convicción de que era el Hijo de Dios. Sentían que podía presentarse delante de ellos en cualquier momento, pasando el acusado a ser acusador, el condenado a condenar, el muerto a exigir justicia en la muerte de sus homicidas.

Poco pudieron descansar el sábado. Aunque no querían cruzar el umbral de un gentil por temor a la contaminación, celebraron un concilio acerca del cuerpo de Cristo. La muerte y el sepulcro debían retener a Aquel a quien habían crucificado. "Se juntaron los príncipes de los sacerdotes y los fariseos a Pilato, diciendo: Señor, nos acordamos que aquel engañador dijo, viviendo aún: Después de tres días resucitaré. Manda, pues, que se asegure el sepulcro hasta el día tercero; porque no vengan sus discípulos de noche, y le hurten, y digan al pueblo: Resucitó de los muertos. Y será el postrer error peor que el primero. Y Pilato les dijo: Tenéis una guardia: id, aseguradlo como sabéis".

Los sacerdotes dieron instrucciones para asegurar el sepulcro. Una gran piedra había sido colocada delante de la abertura. A través de esta piedra pusieron sogas, sujetando los extremos a la roca sólida y sellándolos con el sello romano. La piedra no podía ser movida sin romper el sello. Una guardia de cien soldados fue entonces colocada en derredor del sepulcro a fin de evitar que se le tocase. Los sacerdotes hicieron todo lo que podían para conservar el cuerpo de Cristo donde había sido puesto. Fue sellado tan seguramente en su tumba como si hubiese de permanecer allí para siempre.

Así realizaron los débiles hombres sus consejos y sus planes. Poco comprendían estos homicidas la inutilidad de sus esfuerzos. Pero por su acción Dios fue glorificado. Los mismos esfuerzos hechos para impedir la resurrección de Cristo resultan los argumentos más convincentes para probarla. Cuanto mayor fuese el número de soldados colocados en derredor de la tumba, tanto más categórico sería el testimonio de que había resucitado. Centenares de años antes de la muerte de Cristo, el Espíritu Santo había declarado por el salmista: "¿Por qué se amotinan las gentes, y los pueblos piensan vanidad? Estarán los reyes de la tierra, y príncipes consultarán unidos contra Jehová, y contra su ungido.... El que mora en los cielos se reirá; el Señor se burlará de ellos". Las armas y los guardias romanos fueron impotentes para retener al Señor de la vida en la tumba. Se acercaba la hora de su liberación.

8

"EL SEÑOR HA RESUCITADO"

HABÍA transcurrido lentamente la noche del primer día de la semana. Había llegado la hora más sombría, precisamente antes del amanecer. Cristo estaba todavía preso en su estrecha tumba. La gran piedra estaba en su lugar; el sello romano no había sido roto; los guardias romanos seguían velando. Y había vigilantes invisibles. Huestes de malos ángeles se cernían sobre el lugar. Si hubiese sido posible, el príncipe de las tinieblas, con su ejército apóstata, habría mantenido para siempre sellada la tumba que guardaba al Hijo de Dios. Pero un ejército celestial rodeaba al sepulcro. Ángeles excelsos en fortaleza guardaban la tumba, y esperaban para dar la bienvenida al Príncipe de la vida.

"Y he aquí que fue hecho un gran terremoto; porque un ángel del Señor descendió del cielo". Revestido con la panoplia de Dios, este ángel dejó los atrios celestiales. Los resplandecientes rayos de la gloria de Dios le precedieron e iluminaron su senda. "Su aspecto era como un relámpago, y su vestido blanco como la nieve. Y de miedo de él los guardas se asombraron, y fueron vueltos como muertos".

¿Dónde está, sacerdotes y príncipes, el poder de vuestra guardia? —Valientes soldados que nunca habían tenido miedo al poder humano son ahora como cautivos tomados sin espada ni lanza. El rostro que miran no es el rostro de un guerrero mortal; es la faz del más poderoso ángel de la hueste del Señor. Este mensajero es el que ocupa la posición de la cual cayó Satanás. Es aquel que en las colinas de Belén proclamó el nacimiento de Cristo. La tierra tiembla al acercarse, huyen las huestes de las tinieblas y, mientras hace rodar la piedra, el cielo parece haber bajado a la tierra. Los soldados le ven quitar la piedra como si fuese un canto rodado, y le oyen clamar: Hijo de Dios, sal fuera; tu Padre te llama. Ven a Jesús salir de la tumba, y le oyen proclamar sobre el sepulcro abierto: "Yo soy la resurrección y la vida". Mientras sale con majestad y gloria, la hueste angélica se postra en adoración delante del Redentor y le da la bienvenida con cantos de alabanza.

Un terremoto señaló la hora en que Cristo depuso su vida, y otro terremoto indicó el momento en que triunfante la volvió a tomar. El que había vencido la muerte y el sepulcro salió de la tumba con el paso de un vencedor, entre el bamboleo de la tierra, el fulgor del relámpago y el rugido del trueno. Cuando vuelva de nuevo a la tierra, sacudirá "no solamente la tierra, mas aun el cielo". "Temblará la tierra vacilando como un borracho, y será removida como una choza". "Plegarse han los cielos como un libro;" "los elementos ardiendo serán deshechos, y la tierra y las obras que en ella están serán quemadas". "Mas Jehová será la esperanza de su pueblo, y la fortaleza de los hijos de Israel".

Al morir Jesús, los soldados habían visto la tierra envuelta en tinieblas al mediodía; pero en ocasión de la resurrección vieron el resplandor de los ángeles iluminar la noche, y oyeron a los habitantes del cielo cantar con grande gozo y triunfo: ¡Has vencido a Satanás y las potestades de las tinieblas; has absorbido la muerte por la victoria!

Cristo surgió de la tumba glorificado, y la guardia romana lo contempló. Sus ojos quedaron clavados en el rostro de Aquel de quien se habían burlado tan recientemente. En este ser glorificado, contemplaron al prisionero a quien habían visto en el tribunal, a Aquel para quien habían trenzado una corona de espinas. Era el que había estado sin ofrecer resistencia delante de Pilato y de Herodes, Aquel cuyo cuerpo había sido lacerado por el cruel látigo, Aquel a quien habían clavado en la cruz, hacia quien los sacerdotes y príncipes, llenos de satisfacción propia, habían sacudido la cabeza diciendo: "A otros salvó, a sí mismo no puede salvar". Era Aquel que había sido puesto en la tumba nueva de José. El decreto del Cielo había librado al cautivo. Montañas acumuladas sobre montañas y encima de su sepulcro, no podrían haberle impedido salir.

Al ver a los ángeles y al glorificado Salvador, los guardias romanos se habían desmayado y caído como muertos. Cuando el séquito celestial quedó oculto de su vista, se levantaron y tan prestamente como los podían llevar sus temblorosos miembros se encaminaron hacia la puerta del jardín. Tambaleándose como borrachos, se dirigieron apresuradamente a la ciudad contando las nuevas maravillosas a cuantos encontraban. Iban adonde estaba Pilato, pero su informe fue llevado a las autoridades judías, y los sumos sacerdotes y príncipes ordenaron que fuesen traídos primero a su presencia. Estos soldados ofrecían una extraña apariencia. Temblorosos de miedo, con los rostros pálidos, daban testimonio de la resurrección de Cristo. Contaron todo como lo habían visto; no habían tenido tiempo para pensar ni para decir otra cosa que la verdad. Con dolorosa entonación dijeron: Fue el Hijo de Dios quien fue crucificado; hemos oído a un ángel proclamarle Majestad del cielo, Rey de gloria.

Los rostros de los sacerdotes parecían como de muertos. Caifás procuró hablar. Sus labios se movieron, pero no expresaron sonido alguno. Los soldados estaban por abandonar la sala del concilio, cuando una voz los detuvo. Caifás había recobrado por fin el habla. —Esperad, esperad, —exclamó.— No digáis a nadie lo que habéis visto.

Un informe mentiroso fue puesto entonces en boca de los soldados. "Decid —ordenaron los sacerdotes:— Sus discípulos vinieron de noche, y le hurtaron, durmiendo nosotros. " En esto los sacerdotes se excedieron. ¿Cómo podían los soldados decir que mientras dormían los discípulos habían robado el cuerpo? Si estaban dormidos, ¿cómo podían saberlo? Y si los discípulos hubiesen sido culpables de haber robado el cuerpo de Cristo, ¿no habrían tratado primero los sacerdotes de condenarlos? O si los centinelas se hubiesen dormido al lado de la tumba, ¿no habrían sido los sacerdotes los primeros en acusarlos ante Pilato?

Los soldados se quedaron horrorizados al pensar en atraer sobre sí mismos la acusación de dormir en su puesto. Era un delito punible de muerte. ¿Debían dar falso testimonio, engañar al pueblo y hacer peligrar su propia vida? ¿Acaso no habían cumplido su penosa vela con alerta vigilancia? ¿Cómo podrían soportar el juicio, aun por el dinero, si se perjuraban? A fin de acallar el testimonio que temían, los sacerdotes prometieron asegurar la vida de la guardia diciendo que Pilato no deseaba más que ellos que circulase un informe tal. Los soldados romanos vendieron su integridad a los judíos por dinero. Comparecieron delante de los sacerdotes cargados con muy sorprendente mensaje de verdad; salieron con una carga de dinero, y en sus lenguas un informe mentiroso fraguado para ellos por los sacerdotes.

Mientras tanto la noticia de la resurrección de Cristo había sido llevada a Pilato. Aunque Pilato era responsable por haber entregado a Cristo a la muerte, se había quedado comparativamente despreocupado. Aunque había condenado de muy mala gana al Salvador y con un sentimiento de compasión, no había sentido hasta ahora ninguna verdadera contrición. Con terror se encerró entonces en su casa, resuelto a no ver a nadie. Pero los sacerdotes penetraron hasta su presencia, contaron la historia que habían inventado y le instaron a pasar por alto la negligencia que habían tenido los centinelas con su deber. Pero antes de consentir en esto, él interrogó en privado a los guardias. Estos, temiendo por su seguridad, no se atrevieron a ocultar nada, y Pilato obtuvo de ellos un relato de todo lo que había sucedido. No llevó el asunto más adelante, pero desde entonces no hubo más paz para él.

Cuando Jesús estuvo en el sepulcro, Satanás triunfó. Se atrevió a esperar que el Salvador no resucitase. Exigió el cuerpo del Señor, y puso su guardia en derredor de la tumba procurando retener a Cristo preso. Se airó acerbamente cuando sus ángeles huyeron al acercarse el mensajero celestial. Cuando vio a Cristo salir triunfante, supo que su reino acabaría y que él habría de morir finalmente.

Al dar muerte a Cristo, los sacerdotes se habían hecho instrumentos de Satanás. Ahora estaban enteramente en su poder. Estaban enredados en una trampa de la cual no veían otra salida que la continuación de su guerra contra Cristo. Cuando oyeron la nueva de su resurrección, temieron la ira del pueblo. Sintieron que su propia vida estaba en peligro. Su única esperanza consistía en probar que Cristo había sido un impostor y negar que hubiese resucitado. Sobornaron a los soldados y obtuvieron el silencio de Pilato. Difundieron sus informes mentirosos lejos y cerca. Pero había testigos a quienes no podían acallar. Muchos habían oído el testimonio de los soldados en cuanto a la resurrección de Cristo. Y ciertos muertos que salieron con Cristo aparecieron a muchos y declararon que había resucitado. Fueron comunicados a los sacerdotes informes de personas que habían visto a esos resucitados y oído su testimonio. Los sacerdotes y príncipes estaban en continuo temor, no fuese que mientras andaban por las calles, o en la intimidad de sus hogares, se encontrasen frente a frente con Cristo. Sentían que no había seguridad para ellos. Los cerrojos y las trancas ofrecerían muy poca protección contra el Hijo de Dios. De día y de noche, esta terrible escena del tribunal en que habían clamado: "Su sangre sea sobre nosotros, y sobre nuestros hijos" estaba delante de ellos. Nunca más se habría de desvanecer de su espíritu el recuerdo de esa escena. Nunca más volvería a sus almohadas el sueño apacible.

Cuando la voz del poderoso ángel fue oída junto a la tumba de Cristo, diciendo: "Tu Padre te llama," el Salvador salió de la tumba por la vida que había en él. Quedó probada la verdad de sus palabras: "Yo pongo mi vida, para volverla a tomar. ... Tengo poder para ponerla, y tengo poder para volverla a tomar". Entonces se cumplió la profecía que había hecho a los sacerdotes y príncipes: "Destruid este templo, y en tres días lo levantaré".

Sobre la tumba abierta de José, Cristo había proclamado triunfante: "Yo soy la resurrección y la vida". Únicamente la Divinidad podía pronunciar estas palabras. Todos los seres creados viven por la voluntad y el poder de Dios. Son receptores dependientes de la vida de Dios. Desde el más sublime serafín hasta el ser animado más humilde, todos son renovados por la Fuente de la vida. Unicamente el que es uno con Dios podía decir: Tengo poder para poner mi vida, y tengo poder para tornarla de nuevo. En su divinidad, Cristo poseía el poder de quebrar las ligaduras de la muerte.

Cristo resucitó de entre los muertos como primicia de aquellos que dormían. Estaba representado por la gavilla agitada, y su resurrección se realizó en el mismo día en que esa gavilla era presentada delante del Señor. Durante más de mil años, se había realizado esa ceremonia simbólica. Se juntaban las primeras espigas de grano maduro de los campos de la mies, y cuando la gente subía a Jerusalén para la Pascua, se agitaba la gavilla de primicias como ofrenda de agradecimiento delante de Jehová. No podía ponerse la hoz a la mies para juntarla en gavillas antes que esa ofrenda fuese presentada. La gavilla dedicada a Dios representaba la mies. Así también Cristo, las primicias, representaba la gran mies espiritual que ha de ser juntada para el reino de Dios. Su resurrección es símbolo y garantía de la resurrección de todos los justos muertos. "Porque si creemos que Jesús murió y resucitó, así también traerá Dios con él a los que durmieron en Jesús".

Al resucitar Cristo, sacó de la tumba una multitud de cautivos. El terremoto ocurrido en ocasión de su muerte había abierto sus tumbas, y cuando él resucitó salieron con él. Eran aquellos que habían sido colaboradores con Dios y que, a costa de su vida, habían dado testimonio de la verdad. Ahora iban a ser testigos de Aquel que los había resucitado.

Durante su ministerio, Jesús había dado la vida a algunos muertos. Había resucitado al hijo de la viuda de Naín, a la hija del príncipe y a Lázaro. Pero éstos no fueron revestidos de inmortalidad. Después de haber sido resucitados, estaban todavía sujetos a la muerte. Pero los que salieron de la tumba en ocasión de la resurrección de Cristo fueron resucitados para vida eterna. Ascendieron con él como trofeos de su victoria sobre la muerte y el sepulcro. Estos, dijo Cristo, no son ya cautivos de Satanás; los he redimido. Los he traído de la tumba como primicias de mi poder, para que estén conmigo donde yo esté y no vean nunca más la muerte ni experimenten dolor.

Estos entraron en la ciudad y aparecieron a muchos declarando: Cristo ha resucitado de los muertos, y nosotros hemos resucitado con él. Así fue inmortalizada la sagrada verdad de la resurrección. Los santos resucitados atestiguaron la verdad de las palabras: "Tus muertos vivirán; junto con mi cuerpo muerto resucitarán". Su resurrección ilustró el cumplimiento de la profecía: "¡Despertad y cantad, moradores del polvo! porque tu rocío, cual rocío de hortalizas; y la tierra echará los muertos".

Para el creyente, Cristo es la resurrección y la vida. En nuestro Salvador, la vida que se había perdido por el pecado es restaurada; porque él tiene vida en sí mismo para vivificar a quienes él quiera. Está investido con el derecho de dar la inmortalidad. La vida que él depuso en la humanidad, la vuelve a tomar y la da a la humanidad. "Yo he venido —dijo— para que tengan vida, y para que la tengan en abundancia". "El que bebiere del agua que yo le daré, para siempre no tendrá sed: mas el agua que yo le daré, será en él una fuente de agua que salte para vida eterna". "El que come mi carne y bebe mi sangre, tiene vida eterna: y yo le resucitaré en el día postrero".

Para el creyente, la muerte es asunto trivial. Cristo habla de ella como si fuera de poca importancia. "El que guardaré mi palabra, no verá muerte para siempre," "no gustará muerte para siempre". Para el cristiano, la muerte es tan sólo un sueño, un momento de silencio y tinieblas. La vida está oculta con Cristo en Dios y "cuando Cristo, vuestra vida, se manifestare, entonces vosotros también seréis manifestados con él en gloria".

La voz que clamó desde la cruz: "Consumado es," fue oída entre los muertos. Atravesó las paredes de los sepulcros y ordenó a los que dormían que se levantasen. Así sucederá cuando la voz de Cristo sea oída desde el cielo. Esa voz penetrará en las tumbas y abrirá los sepulcros, y los muertos en Cristo resucitarán. En ocasión de la resurrección de Cristo, unas pocas tumbas fueron abiertas; pero en su segunda venida, todos los preciosos muertos oirán su voz y surgirán a una vida gloriosa e inmortal. El mismo poder que resucitó a Cristo de los muertos resucitará a su iglesia y la glorificará con él, por encima de todos los principados y potestades, por encima de todo nombre que se nombra, no solamente en este mundo, sino también en el mundo venidero.

9

"¿POR QUÉ LLORAS?"

Las mujeres que habían estado al lado de la cruz de Cristo esperaron velando que transcurriesen las horas del sábado. El primer día de la semana, muy temprano, se dirigieron a la tumba llevando consigo especias preciosas para ungir el cuerpo del Salvador. No pensaban que resucitaría. El sol de su esperanza se había puesto, y había anochecido en sus corazones. Mientras andaban, relataban las obras de misericordia de Cristo y sus palabras de consuelo. Pero no recordaban sus palabras: "Otra vez os veré".

Ignorando lo que estaba sucediendo se acercaron al huerto diciendo mientras andaban: "¿Quién nos revolverá la piedra de la puerta del sepulcro?" Sabían que no podrían mover la piedra, pero seguían adelante. Y he aquí, los cielos resplandecieron de repente con una gloria que no provenía del sol naciente. La tierra tembló. Vieron que la gran piedra había sido apartada. El sepulcro estaba vacío.

Las mujeres no habían venido todas a la tumba desde la misma dirección. María Magdalena fue la primera en llegar al lugar; y al ver que la piedra había sido sacada, se fue presurosa para contarlo a los discípulos. Mientras tanto, llegaron las otras mujeres. Una luz resplandecía en derredor de la turba, pero el cuerpo de Jesús no estaba allí. Mientras se demoraban en el lugar, vieron de repente que no estaban solas. Un joven vestido de ropas resplandecientes estaba sentado al lado de la tumba. Era el ángel que había apartado la piedra. Había tomado el disfraz de la humanidad, a fin de no alarmar a estas personas que amaban a Jesús. Sin embargo, brillaba todavía en derredor de él la gloria celestial, y las mujeres temieron. Se dieron vuelta para huir, pero las palabras del ángel detuvieron sus pasos. "No temáis vosotras —les dijo;— porque yo sé que buscáis a Jesús, que fue crucificado. No está aquí; porque ha resucitado, como dijo. Venid, ved el lugar donde fue puesto el Señor. E id presto, decid a sus discípulos que ha resucitado de los muertos". Volvieron a mirar al interior del sepulcro y volvieron a oír las nuevas maravillosas. Otro ángel en forma humana estaba allí, y les dijo: "¿Por qué buscáis entre los muertos al que vive? No está aquí, mas ha resucitado: acordaos de lo que os habló, cuando aun estaba en Galilea, diciendo: Es menester que el Hijo del hombre sea entregado en manos de hombres pecadores, y que sea crucificado, y resucite al tercer día".

¡Ha resucitado, ha resucitado! Las mujeres repiten las palabras vez tras vez. Ya no necesitan las especias para ungirle. El Salvador está vivo, y no muerto. Recuerdan ahora que cuando hablaba de su muerte, les dijo que resucitaría. ¡Qué día es éste para el mundo! Prestamente, las mujeres se apartaron del sepulcro y "con temor y gran gozo, fueron corriendo a dar las nuevas a sus discípulos".

María no había oído las buenas noticias. Ella fue a Pedro y a Juan con el triste mensaje: "Han llevado al Señor del sepulcro, y no sabemos dónde le han puesto". Los discípulos se apresuraron a ir a la tumba, y la encontraron como había dicho María. Vieron los lienzos y el sudario, pero no hallaron a su Señor. Sin embargo, había allí un testimonio de que había resucitado. Los lienzos mortuorios no habían sido arrojados con negligencia a un lado, sino cuidadosamente doblados, cada uno en un lugar adecuado. Juan "vio, y creyó". No comprendía todavía la escritura que afirmaba que Cristo debía resucitar de los muertos, pero recordó las palabras con que el Salvador había predicho su resurrección.

Cristo mismo había colocado esos lienzos mortuorios con tanto cuidado. Cuando el poderoso ángel bajó a la tumba, se le unió otro, quien, con sus acompañantes, había estado guardando el cuerpo del Señor. Cuando el ángel del cielo apartó la piedra, el otro entró en la tumba y desató las envolturas que rodeaban el cuerpo de Jesús. Pero fue la mano del Salvador la que dobló cada una de ellas y la puso en su lugar. A la vista de Aquel que guía tanto a la estrella como al átomo, no hay nada sin importancia. Se ven orden y perfección en toda su obra.

María había seguido a Juan y a Pedro a la tumba; cuando volvieron a Jerusalén, ella quedó. Mientras miraba al interior de la tumba vacía, el pesar llenaba su corazón. Mirando hacia adentro, vio a los dos ángeles, el uno a la cabeza y el otro a los pies de donde había yacido Jesús. "Mujer, ¿por qué lloras?" le preguntaron. "Porque se han llevado a mi Señor —contestó ella,— y no sé dónde le han puesto".

Entonces ella se apartó, hasta de los ángeles, pensando que debía encontrar a alguien que le dijese lo que habían hecho con el cuerpo de Jesús. Otra voz se dirigió a ella: "Mujer, ¿por qué lloras? ¿a quién buscas?" A través de sus lágrimas, María vio la forma de un hombre, y pensando que fuese el hortelano dijo: "Señor, si tú lo has llevado, dime dónde lo has puesto, y yo lo llevaré". Si creían que esta tumba de un rico era demasiado honrosa para servir de sepultura para Jesús, ella misma proveería un lugar para él. Había una tumba que la misma voz de Cristo había vaciado, la tumba donde Lázaro había estado. ¿No podría encontrar allí un lugar de sepultura para su Señor? Le parecía que cuidar de su precioso cuerpo crucificado sería un gran consuelo para ella en su pesar.

Pero ahora, con su propia voz familiar, Jesús le dijo: "¡María!" Entonces supo que no era un extraño el que se dirigía a ella y, volviéndose, vio delante de sí al Cristo vivo. En su gozo, se olvidó que había sido crucificado. Precipitándose hacia él, como para abrazar sus pies, dijo: "¡Rabboni!" Pero Cristo alzó la mano diciendo: No me detengas; "porque aun no he subido a mi Padre: mas ve a mis hermanos, y diles: Subo a mi Padre y a vuestro Padre, a mi Dios y a vuestro Dios". Y María se fue a los discípulos con el gozoso mensaje.

Jesús se negó a recibir el homenaje de los suyos hasta tener la seguridad de que su sacrificio era aceptado por el Padre. Ascendió a los atrios celestiales, y de Dios mismo oyó la seguridad de que su expiación por los pecados de los hombres había sido amplia, de que por su sangre todos podían obtener vida eterna. El Padre ratificó el pacto hecho con Cristo, de que recibiría a los hombres arrepentidos y obedientes y los amaría como a su Hijo. Cristo había de completar su obra y cumplir su promesa de hacer "más precioso que el oro fino al varón, y más que el oro de Ophir al hombre". En cielo y tierra toda potestad era dada al Príncipe de la vida, y él volvía a sus seguidores en un mundo de pecado para darles su poder y gloria.

Mientras el Salvador estaba en la presencia de Dios recibiendo dones para su iglesia, los discípulos pensaban en su tumba vacía, se lamentaban y lloraban. Aquel día de regocijo para todo el cielo era para los discípulos un día de incertidumbre, confusión y perplejidad. Su falta de fe en el testimonio de las mujeres da evidencia de cuánto había descendido su fe. Las nuevas de la resurrección de Cristo eran tan diferentes de lo que ellos esperaban que no las podían creer. Eran demasiado buenas para ser la verdad, pensaban. Habían oído tanto de las doctrinas y llamadas teorías científicas de los saduceos, que era vaga la impresión hecha en su mente acerca de la resurrección. Apenas sabían lo que podía significar la resurrección de los muertos. Eran incapaces de comprender ese gran tema.

"Id —dijeron los ángeles a las mujeres,-- decid a sus discípulos y a Pedro, que él va antes que vosotros a Galilea: allí le veréis, como os dijo". Estos ángeles habían estado con Cristo como ángeles custodios durante su vida en la tierra. Habían presenciado su juicio y su crucifixión. Habían oído las palabras que él dirigiera a sus discípulos. Lo demostraron por el mensaje que dieron a los discípulos y que debiera haberlos convencido de su verdad. Estas palabras podían provenir únicamente de los mensajeros de su Señor resucitado.

"Decid a sus discípulos y a Pedro," dijeron los ángeles. Desde la muerte de Cristo, Pedro había estado postrado por el remordimiento. Su vergonzosa negación del Señor y la mirada de amor y angustia que le dirigiera el Salvador estaban siempre delante de él. De todos los discípulos, él era el que había sufrido más amargamente. A él fue dada la seguridad de que su arrepentimiento era aceptado y perdonado su pecado. Se le mencionó por nombre.

"Decid a sus discípulos y a Pedro, que él va antes que vosotros a Galilea: allí le veréis". Todos los discípulos habían abandonado a

Jesús, y la invitación a encontrarse con él vuelve a incluirlos a todos. No los había desechado. Cuando María Magdalena les dijo que había visto al Señor, repitió la invitación a encontrarle en Galilea. Y por tercera vez, les fue enviado el mensaje. Después que hubo ascendido al Padre, Jesús apareció a las otras mujeres diciendo: "Salve. Y ellas se llegaron y abrazaron sus pies, y le adoraron. Entonces Jesús les dice: No temáis: id, dad las nuevas a mis hermanos, para que vayan a Galilea, y allí me verán".

La primera obra que hizo Cristo en la tierra después de su resurrección consistió en convencer a sus discípulos de su no disminuido amor y tierna consideración por ellos. Para probarles que era su Salvador vivo, que había roto las ligaduras de la tumba y no podía ya ser retenido por el enemigo, la muerte, para revelarles que tenía el mismo corazón lleno de amor que cuando estaba con ellos como su amado Maestro, les apareció vez tras vez. Quería estrechar aun más en derredor de ellos los vínculos de su amor. Id, decid a mis hermanos —dijo,— que se encuentren conmigo en Galilea.

Al oír esta cita tan definida, los discípulos empezaron a recordar las palabras con que Cristo les predijera su resurrección. Pero aun así no se regocijaban. No podían desechar su duda y perplejidad. Aun cuando las mujeres declararon que habían visto al Señor, los discípulos no querían creerlo. Pensaban que era pura ilusión.

Una dificultad parecía acumularse sobre otra. El sexto día de la semana habían visto morir a su Maestro, el primer día de la semana siguiente se encontraban privados de su cuerpo, y se les acusaba de haberlo robado para engañar a la gente. Desesperaban de poder corregir alguna vez las falsas impresiones que se estaban formando contra ellos. Temían la enemistad de los sacerdotes y la ira del pueblo. Anhelaban la presencia de Jesús, quien les había ayudado en toda perplejidad.

Con frecuencia repetían las palabras: "Esperábamos que él era el que había de redimir a Israel". Solitarios y con corazón abatido, recordaban sus palabras: "Si en el árbol verde hacen estas cosas, ¿en el seco, qué se hará?" Se reunieron en el aposento alto y, sabiendo que la suerte de su amado Maestro podía ser la suya en cualquier momento, cerraron y atrancaron las puertas.

Y todo el tiempo podrían haber estado regocijándose en el conocimiento de un Salvador resucitado. En el huerto, María había estado llorando cuando Jesús estaba cerca de ella. Sus ojos estaban tan cegados por las lágrimas que no le conocieron. Y el corazón de los discípulos estaba tan lleno de pesar que no creyeron el mensaje de los ángeles ni las palabras de Cristo. ¡Cuántos están haciendo todavía lo que hacían esos discípulos! ¡Cuántos repiten el desesperado clamor de María: "Han llevado al Señor, ... y no sabemos dónde le han puesto"! ¡A cuántos podrían dirigirse las palabras del Salvador: "¿Por qué lloras? ¿a quién buscas?" Está al lado de ellos, pero sus ojos cegados por las lágrimas no lo ven. Les habla, pero no lo entienden. ¡Ojalá que la cabeza inclinada pudiese alzarse, que los ojos se abriesen para contemplarle, que los oídos pudiesen escuchar su voz! "Id presto, decid a sus discípulos que ha resucitado". Invitadlos a no mirar la tumba nueva de José, que fue cerrada con una gran piedra y sellada con el sello romano. Cristo no está allí. No miréis el sepulcro vacío. No lloréis como los que están sin esperanza ni ayuda. Jesús vive, y porque vive, viviremos también. Brote de los corazones agradecidos y de los labios tocados por el fuego santo el alegre canto: ¡Cristo ha resucitado! Vive para interceder por nosotros. Aceptad esta esperanza, y dará firmeza al alma como un ancla segura y probada. Creed y veréis la gloria de Dios.

10

EL VIAJE A EMAÚS

HACIA el atardecer del día de la resurrección, dos de los discípulos se hallaban en camino a Emaús, pequeña ciudad situada a unos doce kilómetros de Jerusalén. Estos discípulos no habían tenido un lugar eminente en la obra de Cristo, pero creían fervientemente en él. Habían venido a la ciudad para observar la Pascua, y se habían quedado muy perplejos por los acontecimientos recientes. Habían oído las nuevas de esa mañana, de que el cuerpo de Cristo había sido sacado de la tumba, y también el informe de las mujeres que habían visto a los ángeles y se habían encontrado con Jesús. Volvían ahora a su casa para meditar y orar. Proseguían tristemente su viaje vespertino, hablando de las escenas del juicio y de la crucifixión. Nunca antes habían estado tan descorazonados. Sin esperanza ni fe, caminaban en la sombra de la cruz.

No habían progresado mucho en su viaje cuando se les unió un extraño, pero estaban tan absortos en su lobreguez y desaliento, que no le observaron detenidamente. Continuaron su conversación, expresando los pensamientos de su corazón. Razonaban acerca de las lecciones que Cristo había dado, que no parecían poder comprender. Mientras hablaban de los sucesos que habían ocurrido, Jesús anhelaba consolarlos. Había visto su pesar; comprendía las ideas contradictorias que, dejando a su mente perpleja, los hacían pensar: ¿Podía este hombre que se dejó humillar así ser el Cristo? Ya no podían dominar su pesar y lloraban. Jesús sabía que el corazón de ellos estaba vinculado con él por el amor, y anhelaba enjugar sus lágrimas y llenarlos de gozo y alegría. Pero primero debía darles lecciones que nunca olvidaran.

"Y díjoles: ¿Qué pláticas son éstas que tratáis entre vosotros andando, y estáis tristes? Y respondiendo el uno, que se llamaba Cleofas, le dijo: ¿Tú sólo peregrino eres en Jerusalem, y no has sabido las cosas que en ella han acontecido estos días?" Ellos le hablaron del desencanto que habían sufrido respecto de su Maestro, "el cual fue varón profeta, poderoso en obra y en palabra delante de Dios y de todo el pueblo;" pero "los príncipes de los sacerdotes y nuestros príncipes," dijeron, le entregaron "a condenación de muerte, y le crucificaron". Con corazón apesadumbrado y labios temblorosos, añadieron: "Mas nosotros esperábamos que él era el que había de redimir a Israel: y ahora sobre todo esto, hoy es el tercer día que esto ha acontecido".

Era extraño que los discípulos no recordasen las palabras de Cristo, ni comprendiesen que él había predicho los acontecimientos que iban a suceder. No comprendían que tan exactamente como la primera parte de su revelación, se iba a cumplir la última, de que al tercer día resucitaría. Esta era la parte que debieran haber recordado. Los sacerdotes y príncipes no la habían olvidado. El día "después de la preparación, se juntaron los príncipes de los sacerdotes y los Fariseos a Pilato, diciendo: Señor, nos acordamos que aquel engañador dijo, viviendo aún: Después de tres días resucitaré". Pero los discípulos no recordaban estas palabras.

"Entonces él les dijo: ¡Oh insensatos, y tardos de corazón para creer todo lo que los profetas han dicho! ¿No era necesario que el Cristo padeciera estas cosas, y que entrara en su gloria?" Los discípulos se preguntaban quién podía ser este extraño, que penetraba así hasta su misma alma, hablaba con tanto fervor, ternura y simpatía y alentaba tanta esperanza. Por primera vez desde la entrega de Cristo, empezaron a sentirse esperanzados. Con frecuencia miraban fervientemente a su compañero, y pensaban que sus palabras eran exactamente las que Cristo habría hablado. Estaban llenos de asombro y su corazón palpitaba de gozosa expectativa.

Empezando con Moisés, alfa de la historia bíblica, Cristo expuso en todas las Escrituras las cosas concernientes a él. Si se hubiese dado a conocer primero, el corazón de ellos habría quedado satisfecho. En la plenitud de su gozo, no habrían deseado más. Pero era necesario que comprendiesen el testimonio que le daban los símbolos y las profecías del Antiguo Testamento. Su fe debía establecerse sobre éstas. Cristo no realizó ningún milagro para convencerlos, sino que su primera obra consistió en explicar las Escrituras. Ellos habían considerado su muerte como la destrucción de todas sus esperanzas. Ahora les demostró por los profetas que era la evidencia más categórica para su fe.

Al enseñar a estos discípulos, Jesús demostró la importancia del Antiguo Testamento como testimonio de su misión. Muchos de los que profesan ser cristianos ahora, descartan el Antiguo Testamento y aseveran que ya no tiene utilidad. Pero tal no fue la enseñanza de Cristo. Tan altamente lo apreciaba que en una oportunidad dijo: "Si no oyen a Moisés y a los profetas, tampoco se persuadirán, si alguno se levantare de los muertos".

Es la voz de Cristo que habla por los patriarcas y los profetas, desde los días de Adán hasta las escenas finales del tiempo. El Salvador se revela en el Antiguo Testamento tan claramente como en el Nuevo. Es la luz del pasado profético lo que presenta la vida de Cristo y las enseñanzas del Nuevo Testamento con claridad y belleza. Los milagros de Cristo son una prueba de su divinidad; pero una prueba aun más categórica de que él es el Redentor del mundo se halla al comparar las profecías del Antiguo Testamento con la historia del Nuevo.

Razonando sobre la base de la profecía, Cristo dio a sus discípulos una idea correcta de lo que había de ser en la humanidad. Su expectativa de un Mesías que había de asumir el trono y el poder real de acuerdo con los deseos de los hombres, había sido engañosa. Les había impedido comprender correctamente su descenso de la posición más sublime a la más humilde que pudiese ocupar. Cristo deseaba que las ideas de sus discípulos fuesen puras y veraces en toda especificación. Debían comprender, en la medida de lo posible, la copa de sufrimiento que le había sido dada. Les demostró que el terrible conflicto que todavía no podían comprender era el cumplimiento del pacto hecho antes de la fundación del mundo. Cristo debía morir, como todo transgresor de la ley debe morir si continúa en el pecado. Todo esto había de suceder, pero no terminaba en derrota, sino en una victoria gloriosa y eterna. Jesús les dijo que debía hacerse todo esfuerzo posible para salvar al mundo del pecado. Sus seguidores deberían vivir como él había vivido y obrar como él había obrado, esforzándose y perseverando.

Así discurrió Cristo con sus discípulos, abriendo su entendimiento para que comprendiesen las Escrituras. Los discípulos estaban cansados, pero la conversación no decaía. De los labios del Salvador brotaban palabras de vida y seguridad. Pero los ojos de ellos estaban velados. Mientras él les hablaba de la destrucción de Jerusalén, miraron con llanto la ciudad condenada. Pero poco sospechaban quién era su compañero de viaje. No pensaban que el objeto de su conversación estaba andando a su lado; porque Cristo se refería a si mismo como si fuese otra persona. Pensaban que era alguno de aquellos que habían asistido a la gran fiesta y volvía ahora a su casa. Andaba tan cuidadosamente como ellos sobre las toscas piedras, deteniéndose de vez en cuando para descansar un poco. Así prosiguieron por el camino montañoso, mientras andaba a su lado Aquel que habría de asumir pronto su puesto a la diestra de Dios y podía decir: "Toda potestad me es dada en el cielo y en la tierra".

Durante el viaje, el sol se había puesto, y antes que los viajeros llegasen a su lugar de descanso los labradores de los campos habían dejado su trabajo. Cuando los discípulos estaban por entrar en casa, el extraño pareció querer continuar su viaje. Pero los discípulos se sentían atraídos a él. En su alma tenían hambre de oír más de él. "Quédate con nosotros," dijeron. Como no parecía aceptar la invitación, insistieron diciendo: "Se hace tarde, y el día ya ha declinado". Cristo accedió a este ruego y "entró pues a estarse con ellos".

Si los discípulos no hubiesen insistido en su invitación, no habrían sabido que su compañero de viaje era el Señor resucitado. Cristo no impone nunca su compañía a nadie. Se interesa en aquellos que le necesitan. Gustosamente entrará en el hogar más humilde y alegrará el corazón más sencillo. Pero si los hombres son demasiado indiferentes para pensar en el Huésped celestial o pedirle que more con ellos, pasa de largo. Así muchos sufren grave pérdida. No conocen a

Cristo más de lo que le conocieron los discípulos mientras andaban con él en el camino.

Pronto estuvo preparada la sencilla cena de pan. Fue colocada delante del huésped, que había tomado su asiento a la cabecera de la mesa. Entonces alzó las manos para bendecir el alimento. Los discípulos retrocedieron asombrados. Su compañero extendía las manos exactamente como solía hacerlo su Maestro. Vuelven a mirar, y he aquí que ven en sus manos los rastros de los clavos. Ambos exclaman a la vez: ¡Es el Señor Jesús! ¡Ha resucitado de los muertos!

Se levantan para echarse a sus pies y adorarle, pero ha desaparecido de su vista. Miran el lugar que ocupara Aquel cuyo cuerpo había estado últimamente en la tumba y se dicen uno al otro: "¿No ardía nuestro corazón en nosotros, mientras nos hablaba en el camino, y cuando nos abría las Escrituras?"

Pero teniendo esta gran nueva que comunicar, no pueden permanecer sentados conversando. Han desaparecido su cansancio y su hambre. Dejan sin probar su cena, y llenos de gozo vuelven a tomar la misma senda por la cual vinieron, apresurándose para ir a contar las nuevas a los discípulos que están en la ciudad. En algunos lugares, el camino no es seguro, pero trepan por los lugares escabrosos y resbalan por las rocas lisas. No ven ni saben que tienen la protección de Aquel que recorrió el camino con ellos. Con su bordón de peregrino en la mano, se apresuran deseando ir más ligero de lo que se atreven. Pierden la senda, pero la vuelven a hallar. A veces corriendo, a veces tropezando, siguen adelante, con su compañero invisible al lado de ellos todo el camino.

La noche es obscura, pero el Sol de justicia resplandece sobre ellos. Su corazón salta de gozo. Parecen estar en un nuevo mundo. Cristo es un Salvador vivo. Ya no le lloran como muerto. Cristo ha resucitado, repiten vez tras vez. Tal es el mensaje que llevan a los entristecidos discípulos. Deben contarles la maravillosa historia del viaje a Emaús. Deben decirles quién se les unió en el camino. Llevan el mayor mensaje que fuera jamás dado al mundo, un mensaje de alegres nuevas, de las cuales dependen las esperanzas de la familia humana para este tiempo y para la eternidad.

11

"PAZ A VOSOTROS"

AL LLEGAR a Jerusalén, los dos discípulos entraron por la puerta oriental, que permanecía abierta de noche durante las fiestas. Las casas estaban obscuras y silenciosas, pero los viajeros siguieron su camino por las calles estrechas a la luz de la luna naciente. Fueron al aposento alto, donde Jesús había pasado las primeras horas de la última noche antes de su muerte. Sabían que allí habían de encontrar a sus hermanos. Aunque era tarde, sabían que los discípulos no dormirían antes de saber con seguridad qué había sido del cuerpo de su Señor. Encontraron la puerta del aposento atrancada seguramente. Llamaron para que se los admitiese, pero sin recibir respuesta. Todo estaba en silencio. Entonces dieron sus nombres. La puerta se abrió cautelosamente; ellos entraron y Otro, invisible, entró con ellos. Luego la puerta se volvió a cerrar, para impedir la entrada de espías.

Los viajeros encontraron a todos sorprendidos y excitados. Las voces de los que estaban en la pieza estallaron en agradecimiento y alabanza diciendo: "Ha resucitado el Señor verdaderamente, y ha aparecido a Simón". Entonces los dos viajeros, jadeantes aún por la prisa con que habían realizado su viaje, contaron la historia maravillosa de cómo Jesús se les apareció. Apenas acabado su relato, y mientras algunos decían que no lo podían creer porque era demasiado bueno para ser la verdad, he aquí que vieron otra persona delante de sí. Todos los ojos se fijaron en el extraño. Nadie había llamado para pedir entrada. Ninguna pisada se había dejado oír. Los discípulos, sorprendidos, se preguntaron lo que esto significaba. Oyeron entonces una voz que no era otra que la de su Maestro. Claras fueron las palabras de sus labios: "Paz a vosotros".

"Entonces ellos espantados y asombrados, pensaban que veían espíritu. Mas él les dice: ¿Por qué estáis turbados y suben pensamientos a vuestros corazones ? Mirad mis manos y mis pies, que yo mismo soy: palpad, y ved; que el espíritu ni tiene carne ni huesos, como veis que yo tengo. Y en diciendo esto, les mostró las manos y los pies".

Contemplaron ellos las manos y los pies heridos por los crueles clavos. Reconocieron su voz, que era como ninguna otra que hubiesen oído. "Y no creyéndolo aún ellos de gozo, y maravillados, díjoles ¿Tenéis aquí algo de comer? Entonces ellos le presentaron parte de un pez asado, y un panal de miel. Y él tomó, y comió delante de ellos". "Y los discípulos se gozaron viendo al Señor". La fe y el gozo reemplazaron a la incredulidad, y con sentimientos que no podían expresarse en palabras, reconocieron a su resucitado Salvador.

En ocasión del nacimiento de Jesús, el ángel anunció: Paz en la tierra, y buena voluntad para con los hombres. Y ahora, en la primera aparición a sus discípulos después de su resurrección, el Salvador se dirigió a ellos con las bienaventuradas palabras: "Paz a vosotros". Jesús está siempre listo para impartir paz a las almas que están cargadas de dudas y temores. Espera que nosotros le abramos la puerta del corazón y le digamos: Mora con nosotros. Dice: "He aquí, yo estoy a la puerta y llamo: si alguno oyere mi voz y abriere la puerta, entraré a él, y cenaré con él, y él conmigo".

La resurrección de Cristo fue una figura de la resurrección final de todos los que duermen en él. El semblante del Salvador resucitado, sus modales y su habla eran familiares para sus discípulos. Así como Jesús resucitó de los muertos, han de resucitar los que duermen en él. Conoceremos a nuestros amigos como los discípulos conocieron a Jesús. Pueden haber estado deformados, enfermos o desfigurados en esta vida mortal, y levantarse con perfecta salud y simetría; sin embargo, en el cuerpo glorificado su identidad será perfectamente conservada. Entonces conoceremos así como somos conocidos. En la luz radiante que resplandecerá del rostro de Jesús, reconoceremos los rasgos de aquellos a quienes amamos.

Cuando Jesús se encontró con sus discípulos les recordó lo que les había dicho antes de su muerte, a saber, que debían cumplirse todas las cosas que estaban escritas acerca de él en la ley de Moisés, en los profetas y los salmos. "Entonces les abrió el sentido, para que entendiesen las Escrituras; y díjoles: Así está escrito, y así fue necesario que el Cristo padeciese, y resucitase de los muertos al tercer día; y que se predicase en su nombre el arrepentimiento y la remisión de pecados en todas las naciones comenzando de Jerusalem. Y vosotros sois testigos de estas cosas".

Los discípulos empezaron a comprender la naturaleza y extensión de su obra. Habían de proclamar al mundo las verdades admirables que Cristo les había confiado. Los acontecimientos de su vida, su muerte y resurrección, las profecías que indicaban estos sucesos, el carácter sagrado de la ley de Dios, los misterios del plan de la salvación, el poder de Jesús para remitir los pecados, de todo esto debían ser testigos y darlo a conocer al mundo. Debían proclamar el Evangelio de paz y salvación por el arrepentimiento y el poder del Salvador.

"Y como hubo dicho esto, sopló, y díjoles: Tomad el Espíritu Santo: a los que remitiereis los pecados, les son remitidos: a quienes los retuviereis, serán retenidos". El Espíritu Santo no se había manifestado todavía plenamente; porque Cristo no había sido glorificado todavía. El impartimiento más abundante del Espíritu no sucedió hasta después de la ascensión de Cristo. Mientras no lo recibiesen, no podían los discípulos cumplir la comisión de predicar el Evangelio al mundo. Pero en ese momento el Espíritu les fue dado con un propósito especial. Antes que los discípulos pudiesen cumplir sus deberes oficiales en relación con la iglesia, Cristo sopló su Espíritu sobre ellos. Les confiaba un cometido muy sagrado y quería hacerles entender que sin el Espíritu Santo esta obra no podía hacerse.

El Espíritu Santo es el aliento de la vida espiritual. El impartimiento del Espíritu es el impartimiento de la vida de Cristo.

Comunica al que lo recibe los atributos de Cristo. Únicamente aquellos que han sido así enseñados de Dios, los que experimentan la operación interna del Espíritu y en cuya vida se manifiesta la vida de Cristo, han de destacarse como hombres representativos, que ministren en favor de la iglesia.

"A los que remitiereis los pecados —dijo Cristo,— les son remitidos: a quienes los retuviereis, serán retenidos". Cristo no da aquí a nadie libertad para juzgar a los demás. En el sermón del monte, lo prohibió. Es prerrogativa de Dios. Pero coloca sobre la iglesia organizada una responsabilidad por sus miembros individuales. La iglesia tiene el deber de amonestar, instruir y si es posible restaurar a aquellos que caigan en el pecado. "Redarguye, reprende, exhorta —dice el Señor,— con toda paciencia y doctrina". Obrad fielmente con los que hacen mal. Amonestad a toda alma que está en peligro. No dejéis que nadie se engañe. Llamad al pecado por su nombre. Declarad lo que Dios ha dicho respecto de la mentira, la violación del sábado, el robo, la idolatría y todo otro mal: "Los que hacen tales cosas no heredarán el reino de Dios". Si persisten en el pecado, el juicio que habéis declarado por la Palabra de Dios es pronunciado sobre ellos en el cielo. Al elegir pecar, niegan a Cristo; la iglesia debe mostrar que no sanciona sus acciones, o ella misma deshonra a su Señor. Debe decir acerca del pecado lo que Dios dice de él. Debe tratar con él como Dios lo indica, y su acción queda ratificada en el cielo. El que desprecia la autoridad de la iglesia desprecia la autoridad de Cristo mismo.

Pero el cuadro tiene un aspecto más halagüeño. "A los que remitiereis los pecados, les son remitidos". Dad el mayor relieve a este pensamiento. Al trabajar por los que yerran, dirigid todo ojo a Cristo. Tengan los pastores tierno cuidado por el rebaño de la dehesa del Señor. Hablen a los que yerran de la misericordia perdonadora del Salvador. Alienten al pecador a arrepentirse y a creer en Aquel que puede perdonarle. Declaren, sobre la autoridad de la Palabra de Dios: "Si confesamos nuestros pecados, él es fiel y justo para que nos perdone nuestros pecados, y nos limpie de toda maldad". A todos los que se arrepienten se les asegura: "El tendrá misericordia de nosotros; él sujetará nuestras iniquidades, y echará en los profundos de la mar todos nuestros pecados".

Sea el arrepentimiento del pecador aceptado por la iglesia con corazón agradecido. Condúzcase al arrepentido de las tinieblas de la incredulidad a la luz de la fe y de la justicia. Colóquese su mano temblorosa en la mano amante de Jesús. Una remisión tal es ratificada en el cielo.

Unicamente en este sentido tiene la iglesia poder para absolver al pecador. La remisión de los pecados puede obtenerse únicamente por los méritos de Cristo. A ningún hombre, a ningún cuerpo de hombres, es dado el poder de librar al alma de la culpabilidad. Cristo encargó a sus discípulos que predicasen la remisión de pecados en su nombre entre todas las naciones; pero ellos mismos no fueron dotados de poder para quitar una sola mancha de pecado. El nombre de Jesús es el único nombre "debajo del cielo, dado a los hombres, en que podamos ser salvos".

Cuando Cristo se encontró por primera vez con los discípulos en el aposento alto, Tomás no estaba con ellos. Oyó el informe de los demás y recibió abundantes pruebas de que Jesús había resucitado; pero la lobreguez y la incredulidad llenaban su alma. El oír a los discípulos hablar de las maravillosas manifestaciones del Salvador resucitado no hizo sino sumirlo en más profunda desesperación. Si Jesús hubiese resucitado realmente de los muertos no podía haber entonces otra esperanza de un reino terrenal. Y hería su vanidad el pensar que su Maestro se revelase a todos los discípulos excepto a él. Estaba resuelto a no creer, y por una semana entera reflexionó en su condición, que le parecía tanto más obscura en contraste con la esperanza y la fe de sus hermanos.

Durante ese tiempo, declaró repetidas veces: "Si no viere en sus manos la señal de los clavos, y metiere mi dedo en el lugar de los clavos, y metiere mi mano en su costado, no creeré". No quería ver por los ojos de sus hermanos, ni ejercer fe por su testimonio. Amaba ar-dientemente a su Señor, pero permitía que los celos y la incredulidad dominasen su mente y corazón.

Unos cuantos de los discípulos hicieron entonces del familiar aposento alto su morada temporal, y a la noche se reunían todos excepto Tomás. Una noche, Tomás resolvió reunirse con los demás. A pesar de su incredulidad, tenía una débil esperanza de que fuese verdad la buena nueva. Mientras los discípulos estaban cenando, hablaban de las evidencias que Cristo les había dado en las profecías. Entonces "vino Jesús, las puertas cerradas, y púsose en medio, y dijo: Paz a vosotros".

Volviéndose hacia Tomás dijo: "Mete tu dedo aquí, y ve mis manos: y alarga acá tu mano, y métela en mi costado: y no seas incrédulo, sino fiel". Estas palabras demostraban que él conocía los pensamientos y las palabras de Tomás. El discípulo acosado por la duda sabía que ninguno de sus compañeros había visto a Jesús desde hacía una semana. No podían haber hablado de su incredulidad al Maestro. Reconoció como su Señor al que tenía delante de sí. No deseaba otra prueba. Su corazón palpitó de gozo, y se echó a los pies de Jesús clamando: "¡Señor mío, y Dios mío!"

Jesús aceptó este reconocimiento, pero reprendió suavemente su incredulidad: "Porque me has visto, Tomás, creíste: bienaventurados los que no vieron y creyeron". La fe de Tomás habría sido más grata a Cristo si hubiese estado dispuesto a creer por el testimonio de sus hermanos. Si el mundo siguiese ahora el ejemplo de Tomás, nadie creería en la salvación; porque todos los que reciben a Cristo deben hacerlo por el testimonio de otros.

Muchos aficionados a la duda se disculpan diciendo que si tuviesen las pruebas que Tomás recibió de sus compañeros, creerían. No comprenden que no solamente tienen esa prueba, sino mucho más. Muchos que, como Tomás, esperan que sea suprimida toda causa de duda, no realizarán nunca su deseo. Quedan gradualmente confirmados en la incredulidad. Los que se acostumbran a mirar el lado sombrío, a murmurar y quejarse, no saben lo que hacen. Están sembrando las semillas de la duda, y segarán una cosecha de duda. En un tiempo en que la fe y la confianza son muy esenciales, muchos se hallarán así incapaces de esperar y creer.

En el trato que concedió a Tomás, Jesús dio una lección para sus seguidores. Su ejemplo demuestra cómo debemos tratar a aquellos cuya fe es débil y que dan realce a sus dudas. Jesús no abrumó a Tomás con reproches ni entró en controversia con él. Se reveló al que dudaba. Tomás había sido irrazonable al dictar las condiciones de su fe, pero Jesús, por su amor y consideración generosa, quebrantó todas las barreras. La incredulidad queda rara vez vencida por la controversia. Se pone más bien en guardia y halla nuevo apoyo y excusa. Pero revélese a Jesús en su amor y misericordia como el Salvador crucificado, y de muchos labios antes indiferentes se oirá el reconocimiento de Tomás: "¡Señor mío, y Dios mío!"

12

DE NUEVO A ORILLAS DEL MAR

JESÚS había citado a sus discípulos a una reunión con él en Galilea; y poco después que terminara la semana de Pascua, ellos dirigieron sus pasos hacia allá. Su ausencia de Jerusalén durante la fiesta habría sido interpretada como desafecto y herejía, por lo cual permanecieron hasta el fin; pero una vez terminada esa fiesta, se dirigieron gozosamente hacia su casa para encontrarse con el Salvador, según él se lo había indicado.

Siete de los discípulos estaban juntos. Iban vestidos con el humilde atavío de los pescadores; eran pobres en bienes de este mundo, pero ricos en el conocimiento y la práctica de la verdad, lo cual a la vista del Cielo les daba el más alto puesto como maestros. No habían estudiado en las escuelas de los profetas, pero durante tres años habían sido enseñados por el mayor educador que el mundo hubiese conocido. Bajo su instrucción habían llegado a ser agentes elevados, inteligentes y refinados, capaces de conducir a los hombres al conocimiento de la verdad.

Gran parte del ministerio de Cristo había transcurrido cerca del mar de Galilea. Al reunirse los discípulos en un lugar donde no era probable que se los perturbase, se encontraron rodeados por los recuerdos de Jesús y de sus obras poderosas. Sobre este mar, donde su corazón se había llenado una vez de terror y la fiera tempestad parecía a punto de lanzarlos a la muerte, Jesús había caminado sobre las ondas para ir a rescatarlos. Allí la tempestad había sido calmada por su palabra. A su vista estaba la playa donde más de diez mil personas habían sido alimentadas con algunos pocos panes y pececillos. No lejos de allí estaba Capernaúm, escenario de tantos milagros.

Mientras los discípulos miraban la escena, embargaban su espíritu los recuerdos de las palabras y acciones de su Salvador. La noche era agradable, y Pedro, que todavía amaba mucho sus botes y la pesca, propuso salir al mar y echar sus redes. Todos acordaron participar en este plan; necesitaban el alimento y las ropas que la pesca de una noche de éxito podría proporcionarles. Así que salieron en su barco, pero no prendieron nada. Trabajaron toda la noche sin éxito. Durante las largas horas, hablaron de su Señor ausente y recordaron las escenas maravillosas que habían presenciado durante su ministerio a orillas del mar. Se hacían preguntas en cuanto a su propio futuro, y se entristecían al contemplar la perspectiva que se les presentaba.

Mientras tanto un observador solitario, invisible, los seguía con los ojos desde la orilla. Al fin, amaneció. El barco estaba cerca de la orilla, y los discípulos vieron de pie sobre la playa a un extraño que los recibió con la pregunta: "Mozos, ¿tenéis algo de comer?" Cuando contestaron: "No," "él les dice: Echad la red a la mano derecha del barco, y hallaréis. Entonces la echaron, y no la podían en ninguna manera sacar, por la multitud de peces".

Juan reconoció al extraño, y le dijo a Pedro: "El Señor es". Pedro se regocijó de tal manera que en su apresuramiento se echó al agua y pronto estuvo al lado de su Maestro. Los otros discípulos vinieron en el barco arrastrando la red llena de peces. "Y como descendieron a tierra, vieron ascuas puestas, y un pez encima de ellas, y pan".

Estaban demasiado asombrados para preguntar de dónde venían el fuego y la comida. "Díceles Jesús: Traed de los peces que cogisteis ahora". Pedro corrió hacia la red, que él había echado y ayudado a sus hermanos a arrastrar hacia la orilla. Después de terminado el trabajo y hechos los preparativos, Jesús invitó a los discípulos a venir y comer. Partió el alimento y lo dividió entre ellos, y fue conocido y reconocido por los siete. Recordaron entonces el milagro de cómo habían sido alimentadas las cinco mil personas en la ladera del monte; pero los dominaba una misteriosa reverencia, y en silencio miraban al Salvador resucitado.

Vívidamente recordaban la escena ocurrida al lado del mar cuando Jesús les había ordenado que le siguieran. Recordaban cómo, a su orden, se habían dirigido mar adentro, habían echado la red y habían prendido tantos peces que la llenaban hasta el punto de romperla. Entonces Jesús los había invitado a dejar sus barcos y había prometido hacerlos pescadores de hombres. Con el fin de hacerles recordar esta escena y profundizar su impresión había realizado de nuevo este milagro. Su acto era una renovación del encargo hecho a los discípulos. Demostraba que la muerte de su Maestro no había disminuido su obligación de hacer la obra que les había asignado. Aunque habían de quedar privados de su compañía personal y de los medios de sostén que les proporcionara su empleo anterior, el Salvador resucitado seguiría cuidando de ellos. Mientras estuviesen haciendo su obra, proveería a sus necesidades. Y Jesús tenía un propósito al invitarlos a echar la red hacia la derecha del barco. De ese lado estaba él, en la orilla. Era el lado de la fe. Si ellos trabajaban en relación con él y se combinaba su poder divino con el esfuerzo humano, no podrían fracasar.

Cristo tenía otra lección que dar, especialmente relacionada con Pedro. La forma en que Pedro había negado a su Maestro había ofrecido un vergonzoso contraste con sus anteriores profesiones de lealtad. Había deshonrado a Cristo e incurrido en la desconfianza de sus hermanos. Ellos pensaban que no se le debía permitir asumir su posición anterior entre ellos, y él mismo sentía que había perdido su confianza. Antes de ser llamado a asumir de nuevo su obra apostólica, debía dar delante de todos ellos pruebas de su arrepentimiento. Sin esto, su pecado, aunque se hubiese arrepentido de él, podría destruir su influencia como ministro de Cristo. El Salvador le dio oportunidad de recobrar la confianza de sus hermanos y, en la medida de lo posible, eliminar el oprobio que había atraído sobre el Evangelio.

En esto es dada una lección para todos los que siguen a Cristo. El Evangelio no transige con el mal. No puede disculpar el pecado. Los pecados secretos han de ser confesados en secreto a Dios. Pero el pecado abierto requiere una confesión abierta. El oprobio que ocasiona el pecado del discípulo recae sobre Cristo. Hace triunfar a

Satanás, y tropezar a las almas vacilantes. El discípulo debe, hasta donde esté a su alcance, eliminar ese oprobio dando prueba de su arrepentimiento.

Mientras Cristo y los discípulos estaban comiendo juntos a orillas del mar, el Salvador dijo a Pedro, refiriéndose a sus hermanos: "Simón, hijo de Jonás, ¿me amas más que éstos?" Pedro había declarado una vez: "Aunque todos sean escandalizados en ti, yo nunca seré escandalizado". Pero ahora supo estimarse con más verdad. "Sí, Señor —dijo:— tú sabes que te amo". No aseguró vehementemente que su amor fuese mayor que el de sus hermanos. No expresó su propia opinión acerca de su devoción. Apeló a Aquel que puede leer todos los motivos del corazón, para que juzgase de su sinceridad: "Tú sabes que te amo". Y Jesús le ordeno: "Apacienta mis corderos".

Nuevamente Jesús probó a Pedro, repitiendo sus palabras anteriores: "Simón, hijo de Jonás, ¿me amas?" Esta vez no preguntó a Pedro si le amaba más que sus hermanos. La segunda respuesta fue como la primera, libre de seguridad extravagante: "Sí, Señor: tú sabes que te amo". Y Jesús le dijo: "Apacienta mis ovejas". Una vez más el Salvador le dirige la pregunta escrutadora: "Simón, hijo de Jonás, ¿me amas?" Pedro se entristeció; pensó que Jesús dudaba de su amor. Sabía que su Maestro tenía motivos para desconfiar de él, y con corazón dolorido contestó: "Señor, tú sabes todas las cosas; tú sabes que te amo". Y Jesús volvió a decirle: "Apacienta mis ovejas".

Tres veces había negado Pedro abiertamente a su Señor, y tres veces Jesús obtuvo de él la seguridad de su amor y lealtad, haciendo penetrar en su corazón esta aguda pregunta, como una saeta armada de púas que penetrase en su herido corazón. Delante de los discípulos congregados, Jesús reveló la profundidad del arrepentimiento de Pedro, y demostró cuán cabalmente humillado se hallaba el discípulo una vez jactancioso.

Pedro era naturalmente audaz e impulsivo, y Satanás se había valido de estas características para vencerle. Precisamente antes de la caída de Pedro, Jesús le había dicho: "Satanás os ha pedido para zarandaros como a trigo; mas yo he rogado por ti que tu fe no falte: y tú, una vez vuelto, confirma a tus hermanos". Había llegado ese momento, y era evidente la transformación realizada en Pedro. Las preguntas tan apremiantes por las cuales el Señor le había probado, no habían arrancado una sola respuesta impetuosa o vanidosa; y a causa de su humi-llación y arrepentimiento, Pedro estaba mejor preparado que nunca antes para actuar como pastor del rebaño.

La primera obra que Cristo confió a Pedro al restaurarle en su ministerio consistía en apacentar a los corderos. Era una obra en la cual Pedro tenía poca experiencia. Iba a requerir gran cuidado y ternura, mucha paciencia y perseverancia. Le llamaba a ministrar a aquellos que fuesen jóvenes en la fe, a enseñar a los ignorantes, a presentarles las Escrituras y educarlos para ser útiles en el servicio de Cristo. Hasta entonces Pedro no había sido apto para hacer esto, ni siquiera para comprender su importancia. Pero ésta era la obra que Jesús le ordenaba hacer ahora. Había sido preparado para ella por el sufrimiento y el arrepentimiento que había experimentado.

Antes de su caída, Pedro había tenido la costumbre de hablar inadvertidamente, bajo el impulso del momento. Siempre estaba listo para corregir a los demás, para expresar su opinión, antes de tener una comprensión clara de sí mismo o de lo que tenía que decir. Pero el Pedro convertido era muy diferente. Conservaba su fervor anterior, pero la gracia de Cristo regía su celo. Ya no era impetuoso, confiado en sí mismo, ni vanidoso, sino sereno, dueño de sí y dócil. Podía entonces alimentar tanto a los corderos como a las ovejas del rebaño de Cristo.

La manera en que el Salvador trató a Pedro encerraba una lección para él y sus hermanos. Les enseñó a tratar al transgresor con paciencia, simpatía y amor perdonador. Aunque Pedro había negado a su Señor, el amor de Jesús hacia él no vaciló nunca. Un amor tal debía sentir el subpastor por las ovejas y los corderos confiados a su cuidado. Recordando su propia debilidad y fracaso, Pedro debía tratar con su rebaño tan tiernamente como Cristo le había tratado a él.

La pregunta que Cristo había dirigido a Pedro era significativa. Mencionó sólo una condición para ser discípulo y servir. "¿Me amas?"

dijo. Esta es la cualidad esencial. Aunque Pedro poseyese todas las demás, sin el amor de Cristo no podía ser pastor fiel sobre el rebaño del Señor. El conocimiento, la benevolencia, la elocuencia, la gratitud y el celo son todos valiosos auxiliares en la buena obra; pero sin el amor de Jesús en el corazón, la obra del ministro cristiano fracasará seguramente.

Jesús anduvo a solas con Pedro un rato, porque había algo que deseaba comunicarle a él solo. Antes de su muerte, Jesús le había dicho: "Donde yo voy, no me puedes ahora seguir; mas me seguirás después". A esto Pedro había contestado: "Señor, ¿por qué no te puedo seguir ahora? mi alma pondré por ti". Cuando dijo esto, no tenía noción de las alturas y profundidades a las cuales le iban a conducir los pies de Cristo. Pedro había fracasado cuando vino la prueba, pero volvía a tener oportunidad de probar su amor hacia Cristo. A fin de que quedase fortalecido para la prueba final de su fe, el Salvador le reveló lo que le esperaba. Le dijo que después de vivir una vida útil, cuando la vejez le restase fuerzas, habría de seguir de veras a su Señor. Jesús dijo: "Cuando eras más mozo, te ceñías, e ibas donde querías; mas cuando ya fueres viejo, extenderás tus manos, y te ceñirá otro, y te llevará a donde no quieras. Y esto dijo, dando a entender con qué muerte había de glorificar a Dios".

Jesús dio entonces a conocer a Pedro la manera en que habría de morir. Hasta predijo que serían extendidas sus manos sobre la cruz. Volvió a ordenar a su discípulo: "Sígueme". Pedro no quedó desalentado por la revelación. Estaba dispuesto a sufrir cualquier muerte por su Señor.

Hasta entonces Pedro había conocido a Cristo según la carne, como muchos le conocen ahora; pero ya no había de quedar así limitado. Ya no le conocía como le había conocido en su trato con él en forma humana. Le había amado como hombre, como maestro enviado del cielo; ahora le amaba como Dios. Había estado aprendiendo la lección de que para él Cristo era todo en todo. Ahora estaba preparado para participar de la misión de sacrificio de su Señor. Cuando por fin fue llevado a la cruz, fue, a petición suya, crucificado con la cabeza hacia abajo. Pensó que era un honor demasiado grande sufrir de la misma manera en que su Maestro había sufrido.

Para Pedro la orden "Sígueme" estaba llena de instrucción. No sólo para su muerte fue dada esta lección, sino para todo paso de su vida. Hasta entonces Pedro había estado inclinado a obrar independientemente. Había procurado hacer planes para la obra de Dios en vez de esperar y seguir el plan de Dios. Pero él no podía ganar nada apresurándose delante del Señor. Jesús le ordena: "Sígueme". No corras delante de mí. Así no tendrás que arrostrar solo las huestes de Satanás. Déjame ir delante de ti, y entonces no serás vencido por el enemigo.

Mientras Pedro andaba al lado de Jesús, vio que Juan los estaba siguiendo. Le dominó el deseo de conocer su futuro, y "dice a Jesús: Señor, ¿y éste, qué? Dícele Jesús: Si quiero que él quede hasta que yo venga, ¿qué a ti? Sígueme tú". Pedro debiera haber considerado que su Señor quería revelarle todo lo que le convenía saber. Es deber de cada uno seguir a Cristo sin preocuparse por la tarea asignada a otros. Al decir acerca de Juan: "Si quiero que él quede hasta que yo venga," Jesús no aseguró que este discípulo habría de vivir hasta la segunda venida del Señor. Aseveró meramente su poder supremo, y que si él quisiera que fuese así, ello no habría de afectar en manera alguna la obra de Pedro. El futuro de Juan, tanto como el de Pedro, estaba en las manos de su Señor. El deber requerido de cada uno de ellos era que le obedeciesen siguiéndole.

¡Cuántos son hoy semejantes a Pedro! Se interesan en los asuntos de los demás, y anhelan conocer su deber mientras que están en peligro de descuidar el propio. Nos incumbe mirar a Cristo y seguirle. Veremos errores en la vida de los demás y defectos en su carácter. La humanidad está llena de flaquezas. Pero en Cristo hallaremos perfección. Contemplándole, seremos transformados. Juan vivió hasta ser muy anciano. Presenció la destrucción de Jerusalén y la ruina del majestuoso templo, símbolo de la ruina final del mundo. Hasta sus últimos días,

Juan siguió de cerca a su Señor. El pensamiento central de su testimonio a las iglesias era: "Carísimos, amémonos unos a otros;" "el que vive en amor, vive en Dios, y Dios en él". Pedro había sido restaurado a su apostolado, pero la honra y la autoridad que recibió de Cristo no le dieron supremacía sobre sus hermanos. Cristo dejó bien sentado esto cuando en contestación a la pregunta de Pedro: "¿Y éste, qué?" había dicho: "¿Qué a ti? Sígueme tú".

Pedro no había de ser honrado como cabeza de la iglesia. El favor que Cristo le había manifestado al perdonarle su apostasía y al confiarle la obra de apacentar el rebaño, y la propia fidelidad de Pedro al seguir a Cristo, le granjearon la confianza de sus hermanos. Tuvo mucha influencia en la iglesia. Pero la lección que Cristo le había enseñado a orillas del mar de Galilea, la conservó Pedro toda su vida. Escribiendo por el Espíritu Santo a las iglesias, dijo:

"Ruego a los ancianos que están entre vosotros, yo anciano también con ellos, y testigo de las aflicciones de Cristo, que soy también participante de la gloria que ha de ser revelada: Apacentad la grey de Dios que está entre vosotros, teniendo cuidado de ella, no por fuerza, sino voluntariamente; no por ganancia deshonesta, sino de un ánimo pronto; y no como teniendo señorío sobre las heredades del Señor, sino siendo dechados de la grey. Y cuando apareciere el Príncipe de los pastores, vosotros recibiréis la corona incorruptible de gloria".

13

ID, DOCTRINAD A TODAS LAS NACIONES

ESTANDO a sólo un paso de su trono celestial, Cristo dio su mandato a sus discípulos: "Toda potestad me es dada en el cielo y en la tierra —dijo.— Por tanto, id, y doctrinad a todos los Gentiles". "Id por todo el mundo; predicad el evangelio a toda criatura.' Repitió varias veces estas palabras a fin de que los discípulos comprendiesen su significado. La luz del cielo debía resplandecer con rayos claros y fuertes sobre todos los habitantes de la tierra, encumbrados y humildes, ricos y pobres. Los discípulos habían de colaborar con su Redentor en la obra de salvar al mundo.

El mandato había sido dado a los doce cuando Cristo se encontró con ellos en el aposento alto; pero debía ser comunicado ahora a un número mayor. En una montaña de Galilea se realizó una reunión, en la cual se congregaron todos los creyentes que pudieron ser llamados. De esta reunión, Cristo mismo había designado, antes de su muerte, la fecha y el lugar. El ángel, al lado de la tumba, recordó a los discípulos la promesa que hiciera de encontrarse con ellos en Galilea. La promesa fue repetida a los creyentes que se habían reunido en Jerusalén durante la semana de la Pascua, y por ellos llegó a muchos otros solitarios que estaban lamentando la muerte de su Señor. Con intenso interés, esperaban todos la entrevista. Concurrieron al lugar de reunión por caminos indirectos, viniendo de todas direcciones para evitar la sospecha de los judíos envidiosos. Vinieron con el corazón en suspenso, hablando con fervor unos a otros de las nuevas que habían oído acerca de Cristo.

Al momento fijado, como quinientos creyentes se habían reunido en grupitos en la ladera de la montaña, ansiosos de aprender todo lo que podían de los que habían visto a Cristo desde su resurrección. De un grupo a otro iban los discípulos, contando todo lo que habían visto y oído de Jesús, y razonando de las Escrituras como él lo había hecho con ellos. Tomás relataba la historia de su incredulidad y contaba cómo sus dudas se habían disipado. De repente Jesús se presentó en medio de ellos. Nadie podía decir de dónde ni cómo había venido. Nunca antes le habían visto muchos de los presentes, pero en sus manos y sus pies contemplaban las señales de la crucifixión; su semblante era como el rostro de Dios, y cuando lo vieron, le adoraron. Pero algunos dudaban. Siempre será así. Hay quienes encuentran difícil ejercer fe y se colocan del lado de la duda. Los tales pierden mucho por causa de su incredulidad.

Esta fue la única entrevista que Jesús tuvo con muchos de los creyentes después de su resurrección. Vino y les habló diciendo: "Toda potestad me es dada en el cielo y en la tierra". Los discípulos le habían adorado antes que hablase, pero sus palabras, al caer de labios que habían sido cerrados por la muerte, los conmovían con un poder singular. Era ahora el Salvador resucitado. Muchos de ellos le habían visto ejercer su poder sanando a los enfermos y dominando a los agentes satánicos. Creían que poseía poder para establecer su reino en Jerusalén, poder para apagar toda oposición, poder sobre los elementos de la naturaleza. Había calmado las airadas aguas; había andado sobre las ondas coronadas de espuma; había resucitado a los muertos. Ahora declaró que "toda potestad" le era dada. Sus palabras elevaron los espíritus de sus oyentes por encima de las cosas terrenales y temporales hasta las celestiales y eternas. Les infundieron el más alto concepto de su dignidad y gloria.

Las palabras que pronunciara Cristo en la ladera de la montaña eran el anuncio de que su sacrificio en favor del hombre era definitivo y completo. Las condiciones de la expiación habían sido cumplidas; la obra para la cual había venido a este mundo se había realizado. Se dirigía al trono de Dios, para ser honrado por los ángeles, principados y potestades. Había iniciado su obra de mediación. Revestido de autoridad ilimitada, dio su mandato a los discípulos: "Id, pues, y haced discípulos entre todas las naciones, bautizándolos en el nombre del Padre, y del Hijo, y del Espíritu Santo: enseñándoles que guarden todas las cosas que os he mandado: y he aquí que estoy yo con vosotros siempre, hasta la consumación del siglo".

El pueblo judío había sido depositario de la verdad sagrada; pero el farisaísmo había hecho de él el más exclusivista, el más fanático de toda la familia humana. Todo lo que se refería a los sacerdotes y príncipes: sus atavíos, costumbres, ceremonias, tradiciones, los incapacitaba para ser la luz del mundo. Se miraban a sí mismos, la nación judía, como el mundo. Pero Cristo comisionó a sus discípulos para que proclamasen una fe y un culto que no encerrasen idea de casta ni de país, una fe que se adaptase a todos los pueblos, todas las naciones, todas las clases de hombres.

Antes de dejar a sus discípulos, Cristo presentó claramente la naturaleza de su reino. Les recordó lo que les había dicho antes acerca de ello. Declaró que no era su propósito establecer en este mundo un reino temporal, sino un reino espiritual. No iba a reinar como rey terrenal en el trono de David. Volvió a explicarles las Escrituras, demostrando que todo lo que había sufrido había sido ordenado en el cielo, en los concilios celebrados entre el Padre y él mismo. Todo había sido predicho por hombres inspirados del Espíritu Santo. Dijo: Veis que todo lo que os he revelado acerca de mi rechazamiento como Mesías se ha cumplido. Todo lo que os he dicho acerca de la humillación que iba a soportar y la muerte que iba a sufrir, se ha verificado. El tercer día resucité. Escudriñad más diligentemente las Escrituras y veréis que en todas estas cosas se ha cumplido lo que especificaba la profecía acerca de mí.

Cristo ordenó a sus discípulos que empezasen en Jerusalén la obra que él había dejado en sus manos. Jerusalén había sido escenario de su asombrosa condescendencia hacia la familia humana. Allí había sufrido, había sido rechazado y condenado. La tierra de Judea era el lugar donde había nacido. Allí, vestido con el atavío de la humanidad, había andado con los hombres, y pocos habían discernido cuánto se había acercado el cielo a la tierra cuando Jesús estuvo entre ellos. En Jerusalén debía empezar la obra de los discípulos.

En vista de todo lo que Cristo había sufrido allí, y de que su trabajo no había sido apreciado, los discípulos podrían haber pedido un campo más promisorio; pero no hicieron tal petición. El mismo terreno donde él había esparcido la semilla de la verdad debía ser cultivado por los discípulos, y la semilla brotaría y produciría abundante mies. En su obra, los discípulos habrían de hacer frente a la persecución por los celos y el odio de los judíos; pero esto lo había soportado su Maestro, y ellos no habían de rehuirlo. Los primeros ofrecimientos de la misericordia debían ser hechos a los homicidas del Salvador. Había en Jerusalén muchos que creían secretamente en Jesús, y muchos que habían sido engañados por los sacerdotes y príncipes. A éstos también debía presentarse el Evangelio. Debían ser llamados al arrepentimiento. La maravillosa verdad de que sólo por Cristo podía obtenerse la remisión de los pecados debía presentarse claramente. Mientras todos los que estaban en Jerusalén estaban conmovidos por los sucesos emocionantes de las semanas recién transcurridas, la predicación del Evangelio iba a producir la más profunda impresión.

Pero la obra no debía detenerse allí. Había de extenderse hasta los más remotos confines de la tierra. Cristo dijo a sus discípulos: Habéis sido testigos de mi vida de abnegación en favor del mundo. Habéis presenciado mis labores para Israel. Aunque no han querido venir a mí para obtener la vida, aunque los sacerdotes y príncipes han hecho de mí lo que quisieron, aunque me rechazaron según lo predecían las Escrituras, deben tener todavía una oportunidad de aceptar al Hijo de Dios. Habéis visto todo lo que me ha sucedido, habéis visto que a todos los que vienen a mí confesando sus pecados yo los recibo libremente. De ninguna manera echaré al que venga a mí. Todos los que quieran pueden ser reconciliados con Dios y recibir la vida eterna. A vosotros, mis discípulos, confío este mensaje de misericordia. Debe proclamarse primero a Israel y luego a todas las naciones, lenguas y pueblos. Debe ser proclamado a judíos y gentiles. Todos los que crean han de ser reunidos en una iglesia.

Mediante el don del Espíritu Santo, los discípulos habían de recibir un poder maravilloso. Su testimonio iba a ser confirmado por señales y prodigios. No sólo los apóstoles iban a hacer milagros, sino también los que recibiesen su mensaje. Cristo dijo: "En mi nombre echarán fuera demonios; hablarán nuevas lenguas; quitarán serpientes, y si bebieren cosa mortífera, no les dañará; sobre los enfermos pondrán sus manos y sanarán".

En ese tiempo el envenenamiento era corriente. Los hombres faltos de escrúpulos no vacilaban en suprimir por este medio a los que estorbaban sus ambiciones. Jesús sabía que la vida de sus discípulos estaría así en peligro. Muchos pensarían prestar servicio a Dios dando muerte a sus testigos. Por lo tanto, les prometió protegerlos de este peligro.

Los discípulos iban a tener el mismo poder que Jesús había tenido para sanar "toda enfermedad y toda dolencia en el pueblo". Al sanar en su nombre las enfermedades del cuerpo, testificarían de su poder para sanar el alma. Y se les prometía un nuevo don. Los discípulos tendrían que predicar entre otras naciones, e iban a recibir la facultad de hablar otras lenguas. Los apóstoles y sus asociados eran hombres sin letras, pero por el derramamiento del Espíritu en el día de Pentecostés, su lenguaje, fuese en su idioma o en otro extranjero, era puro, sencillo y exacto, tanto en los vocablos como en el acento.

Así dio Cristo su mandato a sus discípulos. Proveyó ampliamente para la prosecución de la obra y tomó sobre sí la responsabilidad de su éxito. Mientras ellos obedeciesen su palabra y trabajasen en relación con él, no podrían fracasar. Id a todas las naciones, les ordenó. Id hasta las partes más lejanas del globo habitable, pero sabed que mi presencia estará allí. Trabajad con fe y confianza, porque nunca llegará el momento en que yo os abandone.

El mandato que dio el Salvador a los discípulos incluía a todos los creyentes en Cristo hasta el fin del tiempo. Es un error fatal suponer que la obra de salvar almas sólo depende del ministro ordenado. Todos aquellos a quienes llegó la inspiración celestial, reciben el Evangelio en cometido. A todos los que reciben la vida de Cristo se les ordena trabajar para la salvación de sus semejantes. La iglesia fue establecida para esta obra, y todos los que toman sus votos sagrados se comprometen por ello a colaborar con Cristo.

"El Espíritu y la Esposa dicen: Ven. Y el que oye, diga: Ven". Todo aquel que oye ha de repetir la invitación. Cualquiera sea la vocación de uno en la vida, su primer interés debe ser ganar almas para Cristo. Tal vez no pueda hablar a las congregaciones, pero puede trabajar para los individuos. Puede comunicarles la instrucción recibida de su Señor. El ministerio no consiste sólo en la predicación. Ministran aquellos que alivian a los enfermos y dolientes, que ayudan a los menesterosos, que dirigen palabras de consuelo a los abatidos y a los de poca fe. Cerca y lejos, hay almas abrumadas por un sentimiento de culpabilidad. No son las penurias, los trabajos ni la pobreza lo que degrada a la humanidad. Es la culpabilidad, el hacer lo malo. Esto trae inquietud y descontento. Cristo quiere que sus siervos ministren a las almas enfermas de pecado.

Los discípulos tenían que comenzar su obra donde estaban. No habían de pasar por alto el campo más duro ni menos promisorio. Así también, todos los que trabajan para Cristo han de empezar donde están. En nuestra propia familia puede haber almas hambrientas de simpatía, que anhelan el pan de vida. Puede haber hijos que han de educarse para Cristo. Hay paganos a nuestra misma puerta. Hagamos fielmente la obra que está más cerca. Luego extiéndanse nuestros esfuerzos hasta donde la mano de Dios nos conduzca. La obra de muchos puede parecer restringida por las circunstancias; pero dondequiera que esté, si se cumple con fe y diligencia, se hará sentir hasta las partes más lejanas de la tierra. La obra que Cristo hizo cuando estaba en la tierra parecía limitarse a un campo estrecho, pero multitudes de todos los países oyeron su mensaje. Con frecuencia Dios emplea los medios más sencillos para obtener los mayores resultados. Es su plan que cada parte de su obra dependa de todas las demás partes, como una rueda dentro de otra rueda, y que actúen todas en armonía. El obrero más humilde, movido por el Espíritu Santo, tocará cuerdas invisibles cuyas vibraciones repercutirán hasta los fines de la tierra, y producirán melodía a través de los siglos eternos.

Pero la orden: "Id por todo el mundo" no se ha de olvidar. Somos llamados a mirar las tierras lejanas. Cristo derriba el muro de separación, el prejuicio divisorio de las nacionalidades, enseña a amar a toda la familia humana. Eleva a los hombres del círculo estrecho que prescribe su egoísmo. Abroga todos los límites territoriales y las distinciones artificiales de la sociedad. No hace diferencia entre vecinos y extraños, entre amigos y enemigos. Nos enseña a mirar a toda alma menesterosa como a nuestro hermano, y al mundo como nuestro campo.

Cuando el Salvador dijo: "Id, y doctrinad a todos los Gentiles," dijo también: "Estas señales seguirán a los que creyeren: En mi nombre echarán fuera demonios; hablarán nuevas lenguas; quitarán serpientes, y si bebieren cosa mortífera, no les dañará; sobre los enfermos pondrán sus manos, y sanarán". La promesa es tan abarcante como el mandato. No porque todos los dones hayan de ser impartidos a cada creyente. El Espíritu reparte "particularmente a cada uno como quiere". Pero los dones del Espíritu son prometidos a todo creyente conforme a su necesidad para la obra del Señor. La promesa es tan categórica y fidedigna ahora como en los días de los apóstoles. "Estas señales seguirán a los que creyeren". Tal es el privilegio de los hijos de Dios, y la fe debe echar mano de todo lo que puede tener como apoyo.

"Sobre los enfermos pondrán sus manos, y sanarán". Este mundo es un vasto lazareto, pero Cristo vino para sanar a los enfermos y proclamar liberación a los cautivos de Satanás. El era en sí mismo la salud y la fuerza. Impartía vida a los enfermos, a los afligidos, a los poseídos de los demonios. No rechazaba a ninguno que viniese para recibir su poder sanador. Sabía que aquellos que le pedían ayuda habían atraído la enfermedad sobre sí mismos; sin embargo no se negaba a sanarlos. Y cuando la virtud de Cristo penetraba en estas pobres almas, quedaban convencidas de pecado, y muchos eran sanados de su enfermedad espiritual tanto como de sus dolencias físicas. El Evangelio posee todavía el mismo poder, y ¿por qué no habríamos de presenciar hoy los mismos resultados? Cristo siente los males de todo doliente. Cuando los malos espíritus desgarran un cuerpo humano, Cristo siente la maldición. Cuando la fiebre consume la corriente vital, él siente la agonía. Y está tan dispuesto a sanar a los enfermos ahora como cuando estaba personalmente en la tierra. Los siervos de Cristo son sus representantes, los conductos por los cuales ha de obrar. El desea ejercer por ellos su poder curativo.

En las curaciones del Salvador hay lecciones para sus discípulos. Una vez ungió con barro los ojos de un ciego, y le ordenó: "Ve, lávate en el estanque de Siloé.... Y fue entonces, lavóse, y volvió viendo". Lo que curaba era el poder del gran Médico, pero él empleaba medios naturales. Aunque no apoyó el uso de drogas, sancionó el de remedios sencillos y naturales. A muchos de los afligidos que eran sanados, Cristo dijo: "No peques más, porque no te venga alguna cosa peor". Así enseñó que la enfermedad es resultado de la violación de las leyes de Dios, tanto naturales como espirituales. El mucho sufrimiento que impera en este mundo no existiría si los hombres viviesen en armonía con el plan del Creador.

Cristo había sido guía y maestro del antiguo Israel, y le enseñó que la salud es la recompensa de la obediencia a las leyes de Dios. El gran Médico que sanó a los enfermos en Palestina había hablado a su pueblo desde la columna de nube, diciéndole lo que debía hacer y lo que Dios haría por ellos. "Si oyeres atentamente la voz de Jehová tu Dios —dijo,— e hicieres lo recto delante de sus ojos, y dieres oído a sus mandamientos, y guardares todos sus estatutos, ninguna enfermedad de las que envié a los Egipcios te enviaré a ti; porque yo soy Jehová tu Sanador". Cristo dio a Israel instrucciones definidas acerca de sus hábitos de vida y le aseguró: "Quitará Jehová de ti toda enfermedad". Cuando el pueblo cumplió estas condiciones, se le cumplió la promesa. "No hubo en sus tribus enfermo".

Estas lecciones son para nosotros. Hay condiciones que deben observar todos los que quieran conservar la salud. Todos deben aprender cuáles son esas condiciones. Al Señor no le agrada que se ignoren sus leyes, naturales o espirituales. Hemos de colaborar con Dios para devolver la salud al cuerpo tanto como al alma.

Y debemos enseñar a otros a conservar y recobrar la salud. Para los enfermos, debemos usar los remedios que Dios proveyó en la naturaleza, y debemos señalarles a Aquel que es el único que puede sanar.

Nuestra obra consiste en presentar los enfermos y dolientes a Cristo en los brazos de nuestra fe. Debemos enseñarles a creer en el gran Médico. Debemos echar mano de su promesa, y orar por la manifestación de su poder. La misma esencia del Evangelio es la restauración, y el Salvador quiere que invitemos a los enfermos, los imposibilitados y los afligidos a echar mano de su fuerza.

El poder del amor estaba en todas las obras de curación de Cristo, y únicamente participando de este amor por la fe podemos ser instrumentos apropiados para su obra. Si dejamos de ponernos en relación divina con Cristo, la corriente de energía vivificante no puede fluir en ricos raudales de nosotros a la gente. Hubo lugares donde el Salvador mismo no pudo hacer muchos prodigios por causa de la incredulidad. Así también la incredulidad separa a la iglesia de su Auxiliador divino. Ella está aferrada sólo débilmente a las realidades eternas. Por su falta de fe, Dios queda chasqueado y despojado de su gloria.

Haciendo la obra de Cristo es como la iglesia tiene la promesa de su presencia. Id, doctrinad a todas las naciones, dijo; "y he aquí, yo estoy con vosotros todos los días, hasta el fin del mundo". Una de las primeras condiciones para recibir su poder consiste en tomar su yugo. La misma vida de la iglesia depende de su fidelidad en cumplir el mandato del Señor. Descuidar esta obra es exponerse con seguridad a la debilidad y decadencia espirituales. Donde no hay labor activa por los demás, se desvanece el amor, y se empaña la fe.

Cristo quiere que sus ministros sean educadores de la iglesia en la obra evangélica. Han de enseñar a la gente a buscar y salvar a los perdidos. Pero, ¿es ésta la obra que están haciendo? ¡Ay, cuán pocos se esfuerzan para avivar la chispa de vida en una iglesia que está por morir! ¡Cuántas iglesias son atendidas como corderos enfermos por aquellos que debieran estar buscando a las ovejas perdidas! Y mientras tanto millones y millones están pereciendo sin Cristo.

El amor divino ha sido conmovido hasta sus profundidades insondables por causa de los hombres, y los ángeles se maravillan al contemplar una gratitud meramente superficial en los que son objeto de un amor tan grande. Los ángeles se maravillan al ver el aprecio superficial que tienen los hombres por el amor de Dios. El cielo se indigna al ver la negligencia manifestada en cuanto a las almas de los hombres. ¿Queremos saber cómo lo considera Cristo? ¿Cuáles serían los sentimientos de un padre y una madre si supiesen que su hijo, perdido en el frío y la nieve, había sido pasado de lado y que le dejaron perecer aquellos que podrían haberle salvado? ¿No estarían terriblemente agraviados, indignadísimos? ¿No denunciarían a aquellos homicidas con una ira tan ardiente como sus lágrimas, tan intensa como su amor? Los sufrimientos de cada hombre son los sufrimientos del Hijo de Dios, y los que no extienden una mano auxiliadora a sus semejantes que perecen, provocan su justa ira. Esta es la ira del Cordero. A los que aseveran tener comunión con Cristo y sin embargo han sido indiferentes a las necesidades de sus semejantes, les declarará en el gran día del juicio: "No os conozco de dónde seáis; apartaos de mí todos los obreros de iniquidad".

En el mandato dirigido a sus discípulos, Cristo no sólo esbozó su obra, sino que les dio su mensaje. Enseñad al pueblo, dijo, "que guarden todas las cosas que os he mandado". Los discípulos habían de enseñar lo que Cristo había enseñado. Ello incluye lo que él había dicho, no solamente en persona, sino por todos los profetas y maestros del Antiguo Testamento. Excluye la enseñanza humana. No hay lugar para la tradición, para las teorías y conclusiones humanas ni para la legislación eclesiástica. Ninguna ley ordenada por la autoridad eclesiástica está incluida en el mandato. Ninguna de estas cosas han de enseñar los siervos de Cristo. "La ley y los profetas," con el relato de sus propias palabras y acciones, son el tesoro confiado a los discípulos para ser dado al mundo. El nombre de Cristo es su consigna, su señal de distinción, su vínculo de unión, la autoridad de su conducta y la fuente de su éxito. Nada que no lleve su inscripción ha de ser reconocido en su reino.

El Evangelio no ha de ser presentado como una teoría sin vida, sino como una fuerza viva para cambiar la vida. Dios desea que los que reciben su gracia sean testigos de su poder. A aquellos cuya conducta ha sido más ofensiva para él los acepta libremente; cuando se arrepienten, les imparte su Espíritu divino; los coloca en las más altas posiciones de confianza y los envía al campamento de los desleales a proclamar su misericordia ilimitada. Quiere que sus siervos atestigüen que por su gracia los hombres pueden poseer un carácter semejante al suyo y que se regocijen en la seguridad de su gran amor. Quiere que atestigüemos que no puede quedar satisfecho hasta que la familia humana esté reconquistada y restaurada en sus santos privilegios de hijos e hijas.

En Cristo está la ternura del pastor, el afecto del padre y la incomparable gracia del Salvador compasivo. El presenta sus bendiciones en los términos más seductores. No se conforma con anunciar simplemente estas bendiciones; las ofrece de la manera más atrayente, para excitar el deseo de poseerlas. Así han de presentar sus siervos las riquezas de la gloria del don inefable. El maravilloso amor de Cristo enternecerá y subyugará los corazones cuando la simple exposición de las doctrinas no lograría nada. "Consolaos, consolaos, pueblo mío, dice vuestro Dios". "Súbete sobre un monte alto, anunciadora de Sión; levanta fuertemente tu voz, anunciadora de Jerusalem; levántala, no temas; di a las ciudades de Judá: ¡Veis aquí el Dios vuestro!... Como pastor apacentará su rebaño; en su brazo cogerá los corderos, y en su seno los llevará.' Hablad al pueblo de Aquel que es "señalado entre diez mil," y "todo él codiciable.' Las palabras solas no lo pueden contar. Refléjese en el carácter y manifiéstese en la vida. Cristo está retratándose en cada discípulo. Dios ha predestinado a cada uno a ser conforme "a la imagen de su Hijo.' En cada uno, el longánime amor de Cristo, su santidad, mansedumbre, misericordia y verdad, han de manifestarse al mundo. Los primeros discípulos salieron predicando la palabra. Revelaban a Cristo en su vida. Y el Señor obraba con ellos "confirmando la palabra con las señales que se seguían.' Estos discípulos se prepararon para su obra. Antes del día de Pentecostés, se reunieron y apartaron todas sus divergencias. Estaban unánimes. Creían la promesa de Cristo de que la bendición sería dada, y oraban con fe. No pedían una bendición solamente para sí mismos; los abrumaba la preocupación por la salvación de las almas. El Evangelio debía proclamarse hasta los últimos confines de la tierra, y ellos pedían que se les dotase del poder que Cristo había prometido. Entonces fue derramado el Espíritu Santo, y millares se convirtieron en un día. Así también puede ser ahora. En vez de las especulaciones humanas, predíquese la Palabra de Dios. Pongan a un lado los cristianos sus disensiones y entréguense a Dios para salvar a los perdidos. Pidan con fe la bendición, y la recibirán. El derramamiento del Espíritu en los días apostólicos fue la "lluvia temprana,' y glorioso fue el resultado. Pero la lluvia "tardía" será más abundante. Todos los que consagran su alma, cuerpo y espíritu a Dios, recibirán constantemente una nueva medida de fuerzas físicas y mentales. Las inagotables provisiones del Cielo están a su disposición. Cristo les da el aliento de su propio espíritu, la vida de su propia vida. El Espíritu Santo despliega sus más altas energías para obrar en el corazón y la mente. La gracia de Dios amplía y multiplica sus facultades y toda perfección de la naturaleza divina los auxilia en la obra de salvar almas. Por la cooperación con Cristo, son completos en él, y en su debilidad humana son habilitados para hacer las obras de la Omnipotencia. El Salvador anhela manifestar su gracia e imprimir su carácter en el mundo entero. Es su posesión comprada, y anhela hacer a los hombres libres, puros y santos. Aunque Satanás obra para impedir este propósito, por la sangre derramada para el mundo hay triunfos que han de lograrse y que reportarán gloria a Dios y al Cordero. Cristo no quedará satisfecho hasta que la victoria sea completa, y él vea "del trabajo de su alma... y será saciado". Todas las naciones de la tierra oirán el Evangelio de su gracia. No todos recibirán su gracia; pero "la posteridad le servirá; será ella contada por una generación de Jehová.' "El reino, y el dominio, y el señorío de los reinos por debajo de todos los cielos, será dado al pueblo de los santos del Altísimo," y "la tierra será llena del conocimiento de Jehová, como cubren la mar las aguas". "Y temerán desde el occidente el nombre de Jehová, y desde el nacimiento del sol su gloria". "¡Cuán hermosos son sobre los montes los pies del que trae alegres nuevas, del que publica la paz, del que trae nuevas del bien, del que publica salud, del que dice a Sión: Tu Dios reina!... Cantad alabanzas, alegraos juntamente, soledades de Jerusalem: porque Jehová ha consolado su pueblo.... Jehová desnudó el brazo de su santidad ante los ojos de todas las gentes; y todos los términos de la tierra verán la salud del Dios nuestro".

14

"A MI PADRE Y A VUESTRO PADRE"

HABÍA llegado el tiempo en que Cristo había de ascender al trono de su Padre. Como conquistador divino, había de volver con los trofeos de la victoria a los atrios celestiales. Antes de su muerte, había declarado a su Padre: "He acabado la obra que me diste que hiciese. " Después de su resurrección, se demoró por un tiempo en la tierra, a fin de que sus discípulos pudiesen familiarizarse con él en su cuerpo resucitado y glorioso. Ahora estaba listo para la despedida. Había demostrado el hecho de que era un Salvador vivo. Sus discípulos no necesitaban ya asociarle en sus pensamientos con la tumba. Podían pensar en él como glorificado delante del universo celestial.

Como lugar de su ascensión, Jesús eligió el sitio con tanta frecuencia santificado por su presencia mientras moraba entre los hombres. Ni el monte de Sión, sitio de la ciudad de David, ni el monte Moria, sitio del templo, había de ser así honrado. Allí Cristo había sido burlado y rechazado. Allí las ondas de la misericordia, que volvían aun con fuerza siempre mayor, habían sido rechazadas por corazones tan duros como una roca. De allí Jesús, cansado y con corazón apesadumbrado, había salido a hallar descanso en el monte de las Olivas. La santa shekinah al apartarse del primer templo, había permanecido sobre la montaña oriental, como si le costase abandonar la ciudad elegida; así Cristo estuvo sobre el monte de las Olivas, contemplando a Jerusalén con corazón anhelante. Los huertos y vallecitos de la montaña habían sido consagrados por sus oraciones y lágrimas. En sus riscos habían repercutido los triunfantes clamores de la multitud que le proclamaba rey. En su ladera había hallado un hogar con Lázaro en Betania. En el huerto de Getsemaní, que estaba al pie, había orado y agonizado solo. Desde esta montaña había de ascender al cielo. En su cumbre, se asentarán sus pies cuando vuelva. No como varón de dolores, sino como glorioso y triunfante rey, estará sobre el monte de las Olivas mientras que los aleluyas hebreos se mezclen con los hosannas gentiles, y las voces de la grande hueste de los redimidos hagan resonar esta aclamación: Coronadle Señor de todos.

Ahora, con los once discípulos, Jesús se dirigió a la montaña. Mientras pasaban por la puerta de Jerusalén, muchos ojos se fijaron, admirados en este pequeño grupo conducido por Uno que unas semanas antes había sido condenado y crucificado por los príncipes. Los discípulos no sabían que era su ultima entrevista con su Maestro. Jesús dedicó el tiempo a conversar con ellos, repitiendo sus instrucciones anteriores. Al acercarse a Getsemaní, se detuvo, a fin de que pudiesen recordar las lecciones que les había dado la noche de su gran agonía. Volvió a mirar la vid por medio de la cual había representado la unión de su iglesia consigo y con el Padre; volvió a repetir las verdades que había revelado entonces. En todo su derredor había recuerdos de su amor no correspondido. Aun los discípulos que tan caros eran a su corazón, le habían cubierto de oprobio y abandonado en la hora de su humillación.

Cristo había estado en el mundo durante treinta y tres años; había soportado sus escarnios, insultos y burlas; había sido rechazado y crucificado. Ahora, cuando estaba por ascender al trono de su gloria —mientras pasaba revista a la ingratitud del pueblo que había venido a salvar— ¿no les retirará su simpatía y amor? ¿No se concentrarán sus afectos en aquel reino donde se le aprecia y donde los ángeles sin pecado esperan para cumplir sus órdenes? —No; su promesa a los amados a quienes deja en la tierra es: "Yo estoy con vosotros todos los días, hasta el fin del mundo".

Al llegar al monte de las Olivas, Jesús condujo al grupo a través de la cumbre, hasta llegar cerca de Betania. Allí se detuvo y los discípulos le rodearon. Rayos de luz parecían irradiar de su semblante mientras los miraba con amor. No los reprendió por sus faltas y fracasos; las últimas palabras que oyeron de los labios del Señor fueron palabras de la más profunda ternura. Con las manos extendidas para bendecirlos, como si quisiera asegurarles su cuidado protector, ascendió lentamente de entre ellos, atraído hacia el cielo por un poder más fuerte que cualquier atracción terrenal. Y mientras él subía, los discípulos, llenos de reverente asombro y esforzando la vista, miraban para alcanzar la última vislumbre de su Salvador que ascendía. Una nube de gloria le ocultó de su vista; y llegaron hasta ellos las palabras: "He aquí, yo estoy con vosotros todos los días, hasta el fin del mundo," mientras la nube formada por un carro de ángeles le recibía. Al mismo tiempo, flotaban hasta ellos los más dulces y gozosos acordes del coro celestial.

Mientras los discípulos estaban todavía mirando hacia arriba, se dirigieron a ellos unas voces que parecían como la música más melodiosa. Se dieron vuelta, y vieron a dos ángeles en forma de hombres que les hablaron diciendo: "Varones Galileos, ¿qué estáis mirando al cielo? este mismo Jesús que ha sido tomado desde vosotros arriba en el cielo, así vendrá como le habéis visto ir al cielo".

Estos ángeles pertenecían al grupo que había estado esperando en una nube resplandeciente para escoltar a Jesús hasta su hogar celestial. Eran los más exaltados de la hueste angélica, los dos que habían ido a la tumba en ocasión de la resurrección de Cristo y habían estado con él durante toda su vida en la tierra. Todo el cielo había esperado con impaciencia el fin de la estada de Jesús en un mundo afligido por la maldición del pecado. Ahora había llegado el momento en que el universo celestial iba a recibir a su Rey. ¡Cuánto anhelarían los dos ángeles unirse a la hueste que daba la bienvenida a Jesús! Pero por simpatía y amor hacia aquellos a quienes había dejado atrás, se quedaron para consolarlos. "¿No son todos ellos espíritus ministradores, enviados para hacer servicio a favor de los que han de heredar la salvación?"

Cristo había ascendido al cielo en forma humana. Los discípulos habían contemplado la nube que le recibió. El mismo Jesús que había andado, hablado y orado con ellos; que había quebrado el pan con ellos; que había estado con ellos en sus barcos sobre el lago; y que ese mismo día había subido con ellos hasta la cumbre del monte de las Olivas, el mismo Jesús había ido a participar del trono de su Padre. Y los ángeles les habían asegurado que este mismo Jesús a quien habían visto subir al cielo, vendría otra vez como había ascendido. Vendrá "con las nubes, y todo ojo le verá". "El mismo Señor con aclamación, con voz de arcángel, y con trompeta de Dios, descenderá del cielo; y los muertos en Cristo resucitarán".

"Cuando el Hijo del hombre venga en su gloria, y todos los santos ángeles con él, entonces se sentará sobre el trono de su gloria". Así se cumplirá la promesa que el Señor hizo a sus discípulos: "Y si me fuere, y os aparejare lugar, vendré otra vez, y os tomaré a mí mismo: para que donde yo estoy, vosotros también estéis". Bien podían los discípulos regocijarse en la esperanza del regreso de su Señor. Cuando los discípulos volvieron a Jerusalén, la gente los miraba con asombro. Después del enjuiciamiento y la crucifixión de Cristo, se había pensado que se mostrarían abatidos y avergonzados. Sus enemigos esperaban ver en su rostro una expresión de pesar y derrota. En vez de eso, había solamente alegría y triunfo. Sus rostros brillaban con una felicidad que no era terrenal. No lloraban por sus esperanzas frustradas; sino que estaban llenos de alabanza y agradecimiento a Dios. Con regocijo, contaban la maravillosa historia de la resurrección de Cristo y su ascensión al cielo, y muchos recibían su testimonio.

Los discípulos ya no desconfiaban de lo futuro. Sabían que Jesús estaba en el cielo, y que sus simpatías seguían acompañándolos. Sabían que tenían un amigo cerca del trono de Dios, y anhelaban presentar sus peticiones al Padre en el nombre de Jesús. Con solemne reverencia, se postraban en oración, repitiendo la garantía: "Todo cuanto pidiereis al Padre en mi nombre, os lo dará. Hasta ahora nada habéis pedido en mi nombre: pedid, y recibiréis, para que vuestro gozo sea cumplido". Extendían siempre más alto la mano de la fe, con el poderoso argumento: "Cristo es el que murió; más aún, el que también resucitó, quien además está a la diestra de Dios, el que también intercede por nosotros". Y el día de Pentecostés les trajo la plenitud del gozo con la presencia del Consolador, así como Cristo lo había prometido.

Todo el cielo estaba esperando para dar la bienvenida al Salvador a los atrios celestiales. Mientras ascendía, iba adelante, y la multitud de cautivos libertados en ocasión de su resurrección le seguía. La hueste celestial, con aclamaciones de alabanza y canto celestial, acompañaba al gozoso séquito. Al acercarse a la ciudad de Dios, la escolta de ángeles demanda:

"Alzad, oh puertas, vuestras cabezas,
Y alzaos vosotras, puertas eternas,
Y entrará el Rey de gloria".

Gozosamente, los centinelas de guardia responden:
"¿Quién es este Rey de gloria?"

Dicen esto, no porque no sepan quién es, sino porque quieren oír la respuesta de sublime loor:

"Jehová el fuerte y valiente,
Jehová el poderoso en batalla.
Alzad, oh puertas, vuestras cabezas,
Y alzaos vosotras, puertas eternas,
Y entrará el Rey de gloria".

Vuelve a oírse otra vez: "¿Quién es este Rey de gloria?" porque los ángeles no se cansan nunca de oír ensalzar su nombre. Y los ángeles de la escolta responden:

"Jehová de los ejércitos,
El es el Rey de la gloria".

Entonces los portales de la ciudad de Dios se abren de par en par, y la muchedumbre angélica entra por ellos en medio de una explosión de armonía triunfante.

Allí está el trono, y en derredor el arco iris de la promesa. Allí están los querubines y los serafines. Los comandantes de las huestes angélicas, los hijos de Dios, los representantes de los mundos que nunca cayeron, están congregados. El concilio celestial delante del cual Lucifer había acusado a Dios y a su Hijo, los representantes de aquellos reinos sin pecado, sobre los cuales Satanás pensaba establecer su dominio, todos están allí para dar la bienvenida al Redentor. Sienten impaciencia por celebrar su triunfo y glorificar a su Rey.

Pero con un ademán, él los detiene. Todavía no; no puede ahora recibir la corona de gloria y el manto real. Entra a la presencia de su Padre. Señala su cabeza herida, su costado traspasado, sus pies lacerados; alza sus manos que llevan la señal de los clavos. Presenta los trofeos de su triunfo; ofrece a Dios la gavilla de las primicias, aquellos que resucitaron con él como representantes de la gran multitud que saldrá de la tumba en ocasión de su segunda venida. Se acerca al Padre ante quien hay regocijo por un solo pecador que se arrepiente. Desde antes que fueran echados los cimientos de la tierra, el Padre y el Hijo se habían unido en un pacto para redimir al hombre en caso de que fuese vencido por Satanás. Habían unido sus manos en un solemne compromiso de que Cristo sería fiador de la especie humana. Cristo había cumplido este compromiso. Cuando sobre la cruz exclamó: "Consumado es," se dirigió al Padre. El pacto había sido llevado plenamente a cabo. Ahora declara: Padre, consumado es. He hecho tu voluntad, oh Dios mío. He completado la obra de la redención. Si tu justicia está satisfecha, "aquellos que me has dado, quiero que donde yo estoy, ellos estén también conmigo". Se oye entonces la voz de Dios proclamando que la justicia está satisfecha. Satanás está vencido. Los hijos de Cristo, que trabajan y luchan en la tierra, son "aceptos en el Amado". Delante de los ángeles celestiales y los representantes de los mundos que no cayeron, son declarados justificados. Donde él esté, allí estará su iglesia. "La misericordia y la verdad se encontraron: la justicia y la paz se besaron". Los brazos del Padre rodean a su Hijo, y se da la orden: "Adórenlo todos los ángeles de Dios".

Con gozo inefable, los principados y las potestades reconocen la supremacía del Príncipe de la vida. La hueste angélica se postra delante de él, mientras que el alegre clamor llena todos los atrios del cielo: "¡Digno es el Cordero que ha sido inmolado, de recibir el poder, y la riqueza, y la sabiduría, y la fortaleza, y la honra, y la gloria, y la bendición!' Los cantos de triunfo se mezclan con la música de las arpas angelicales, hasta que el cielo parece rebosar de gozo y alabanza. El amor ha vencido. Lo que estaba perdido se ha hallado. El cielo repercute con voces que en armoniosos acentos proclaman: "¡Bendición, y honra y gloria y dominio al que está sentado sobre el trono, y al Cordero, por los siglos de los siglos!"

Desde aquella escena de gozo celestial, nos llega a la tierra el eco de las palabras admirables de Cristo: "Subo a mi Padre y a vuestro Padre, a mi Dios y a vuestro Dios". La familia del cielo y la familia de la tierra son una. Nuestro Señor ascendió para nuestro bien y para nuestro bien vive. "Por lo cual puede también salvar eternamente a los que por él se allegan a Dios, viviendo siempre para interceder por ellos".

LA PASIÓN REAL

La Pasión de Cristo de Mel Gibson tocó un nervio vital para muchos. Esta es una experiencia espiritual profundamente motivadora. Para otros el retrato violento del brutal sufrimiento de Cristo rebasa su capacidad para manejarlo emocionalmente.

Quizás has visto la película o quizás no, pero ¿cuál es el significado de todo esto? ¿Por qué todo este horror? ¿Era Jesús simplemente un mártir que moría por una buena causa? ¿Por qué la cruz se ubica en el centro del cristianismo?

Hay algo más allá del atroz dolor que Jesús experimentó en la cruz. Hay algo más trascendente que la inmensidad de su sufrimiento físico. Hay algo más que los rudos soldados romanos clavando los clavos a través de su tierna carne. Hay algo más que un látigo romano con fragmentos de metal que desgarra sus espaldas laceradas. A pesar de lo horrible y real que fue su sufrimiento físico, si esto es todo lo que vemos en la montaña del Gólgota, entonces no hemos captado realmente el significado de todo aquello.

La sangre que emanó de sus sienes, que se dispara de sus manos y fluye de sus pies habla de un Dios que antes que dejar que sus hijos se pierdan decide sufrir un dolor incomparable. La cruz revela a un mundo que espera y a un universo que observa la inmensidad del amor de Dios. Piense en ésto: un ángel rebelde ha desafiado el gobierno de Dios. Ha dicho que Dios es arbitrario, cruel e injusto, que Dios exige amor, pero no lo da. La cruz revela la falsead de esa acusación. Desenmascara al calumniador y revela su profundo engaño.

La esencia del significado del Calvario no es la primera muerte. Es la segunda. La Biblia enseña que hay dos muertes. La primera es la muerte física, que cada uno de nosotros debe experimentar, porque nacimos en un mundo caído (Romanos 5:12). La segunda muerte es la muerte eterna, la última consecuencia del pecado (Romanos 6:23).

Cuando Jesús murió en la cruz, experimentó mucho más que la muerte física. El apóstol Pablo asegura: "El que no conoció pecado se hizo pecado por nosotros" (2 Corintios 5:21). Y añade, "maldito es todo aquel que es colgado de un madero" (Gálatas 3:13). En la cruz Jesús experimentó la perdición de la humanidad. La culpabilidad del pecado destrozó su vida. Suspendido entre el cielo y la tierra, Jesús experimentó la condenación del Padre contra el pecado. En cada fibra de su ser, en cada nervio y cada tejido de su cuerpo, en cada trazo de emoción física mental espiritual, Jesús experimentó lo que podría ser estar perdido. Estar perdido significa la separación eterna de Dios y la aniquilación total. Esto es ser rechazado por Dios. El pecado es tan horrible que separa a los pecadores de Dios para siempre.

Jesús, quien existía con el Padre desde la eternidad, pasó a través de violenta agonía, y su corazón fue quebrantado. Al llevar la culpabilidad y la condenación derrotó nuestros pecados. Como cabeza principal de la raza humana, él llevó en sí mismo voluntariamente, toda la condenación del pecado. Él se arriesgó a separarse de su Padre eternamente, para que yo pudiese vivir con su Padre eternamente. Él fue condenado por mis pecados, en los cuales él no había participado, para que yo pudiera recibir su justicia, en la cual yo no había participado.

Él llevó la corona de espinas para que yo pueda llevar la corona de gloria. Él colgó de un madero sangriento para que yo pueda comer del árbol de la vida.

Sus manos fueron clavadas en una barra de madera para que las mías puedan tomar las manos de mi amoroso Padre. Él murió la muerte que era mía para que yo pueda vivir la vida que es suya. No hay otro amor como éste en todo el universo. Él te ama mucho para dejarte ir sin luchar. Él está tratando de alcanzarte ahora mismo. Él esta hablando a tu corazón en este mismo instante. El Cristo que murió no permaneció en la oscuridad de la tumba. Él está vivo. Él resucitó de los muertos, y anhela que tú vivas con él para siempre.

Él te invita a venir a él ahora mismo. Ven con toda tu culpabilidad. Ven con todas tus pesadas cargas. Ven con todo tu pecado. Ven con todo tu corazón quebrantado y tus dolores. Ven y dale tu vida hoy. Ven y recibe su gracia, su misericordia, su perdón, su fuerza y su poder. Ven y recibe él más maravilloso de todos los regalos, "vida eterna a través de Cristo Jesús nuestro Señor".

¿Por qué no dices esta oración?

Querido Señor,

Vengo a ti ahora mismo. Gracias por tu increíble e incomprensible amor revelado en la cruz del Calvario. Gracias por llevar la culpa de mis pecados allí. Ahora mismo, te doy mi vida y acepto tu regalo de vida eterna. En el nombre de Jesús.

Amén

Mark A. Finley
Evangelista mundial
Programa Televisivo Está Escrito
Simi Valley, California

COMPLETAMENTE GRATIS
GUÍA DE ESTUDIOS BÍBLICOS
DESCUBRA
Y
LA FE DE JESÚS

Esta es tu oportunidad de encontrar respuesta a las preguntas que afectan tu vida y tu felicidad.
ABSOLUTAMENTE GRATIS!

❏ ¡SI! Envíenme hoy el curso de estudios bíblicos GRATIS **DESCUBRA o LA FE DE JESÚS.** Yo quiero descubrir las respuestas de Dios para las preguntas más importantes de mi vida.

Por favor llene la siguiente información: Source Code: **POTA**

Nombre _____

Dirección _____

Ciudad _____

Estado _____ Código Postal _____

Por favor envíe este cupón a la siguiente dirección:

DEPARTAMENTO HISPANO
GREATER NEW YORK CONFERENCE, PO BOX 5029, MANHASSET, NY 11030
WWW.GNYC.ORG

LO QUE USTED HA LEÍDO SOLAMENTE ES PARTE DE LA HISTORIA

Para saber más de la historia de Jesús, lo invitamos a contactar la casa publicadora para otros libros inspiradores escritos por E. G. White.

El Deseado de todas las gentes
Un libro completo acerca de la vida de Jesús.

En Dios confiamos-**Edición especial de** *El Camino A Cristo*
recordando el 9/11.
Desarrollando una relación con Jesús.
Traducido a 140 idiomas y más de 100 millones de ejemplares impresos.

El gran conflicto
Un libro de referencias sobre profecías.

El ministerio de curación, Consejos sobre el régimen alimenticio
Libros sobre la salud.

Palabras de vida del gran Maestro
Lecciones y enseñanzas sobre Mateo 5.

"Y hay también otras muchas cosas que hizo Jesús, que si se escribiesen cada una por sí, ni aun en el mundo pienso que cabrían los libros que se habrían de escribir. Amén" (S. Juan 21:25).

—HOMEWARD PUBLISHING

SAFE TV TIENE PASIÓN POR LA SALVACIÓN DE LA GENTE

La Safe TV(R) provee "televisión sana para todas las edades"(R). Cualquier persona de cualquier edad puede vernos a cualquier hora sin preocuparse por programas que contengan violencia, inmoralidad o profanidad. Nuestra mayor PASIÓN es compartir el amor de Jesucristo con el mundo, por eso es que proveemos, cada semana, programas especiales que nos elevan hacia Dios, la familia y la patria.

Amazing Facts
American Religious Town Hall
Breath of Life
Esta' Escrito
Everlasting Gospel
It Is Written
New Perceptions
Purely Music
The Carter Report
United Prison Ministries, Int'l
Voice of Prophecy
Windows of Hope
And more!

Para obtener más información acerca de cómo recibir en su hogar la SafeTV(R) con nuestro satélite llamar al **1-888.777 9392** o visite nuestro sitio web **www.safetv.org** <http://www.safetv.org/> del extranjero llamar al 479-361-2900

Safe TV CHANNEL®

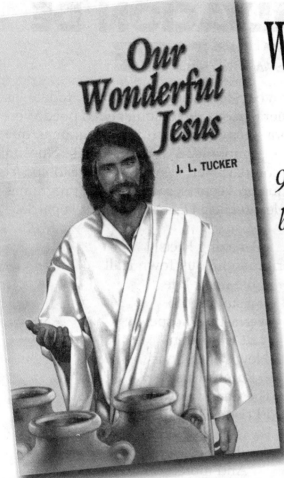